KB088389

#교과서×사고력
#게임하듯공부해
#스티커게임?리얼공부!

Go! 매쓰
초등 수학

GO! 매쓰 저자 소개

저자 김보미

- 네이버 대표카페 '성공하는 공부방 운영하기' 운영자
- '미래엔', '메가스터디', '천재교육' 교재 기획 및 집필
- 전국 1,000개 이상의 공부방/선생님 컨설팅 및 교육
- 현재 〈GO! 매쓰〉 수학 공부방 운영

Chunjae Makes Chunjae

기획총괄	김안나
편집개발	이근우, 서진호, 한인숙, 최수정, 김혜민
디자인총괄	김희정
표지디자인	윤순미
내지디자인	박희춘, 이혜미
제작	황성진, 조규영

발행일	2021년 1월 15일 2판 2024년 12월 15일 3쇄
발행인	(주)천재교육
주소	서울시 금천구 가산로9길 54
신고번호	제2001-000018호
고객센터	1577-0902
교재 구입 문의	1522-5566

교과서 GO! 사고력 GO!

Go! 매쓰

Run-C

교과서 사고력

수학 3-1

Go! 매쓰 Run 구성과 특징

1주차 교과 집중 학습

1 교과서 개념 완성

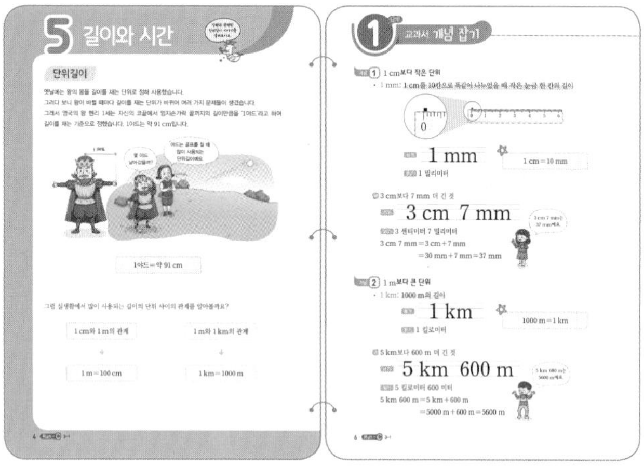

재미있는 수학 이야기로 단원에 대한 흥미를 높이고, 교과서 개념과 기본 문제를 학습합니다.

2 교과서 개념 PLAY

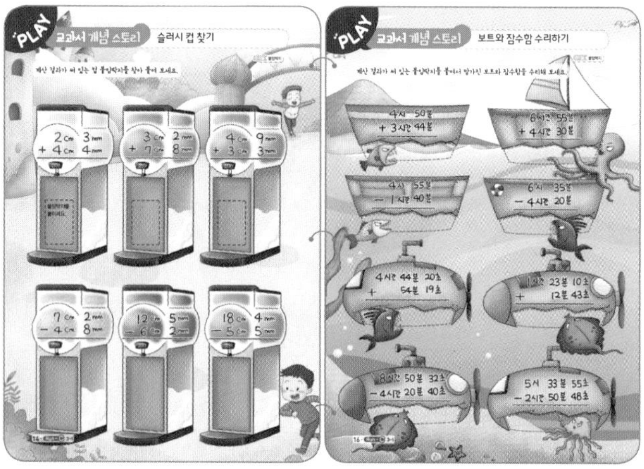

게임으로 개념을 학습하면서 집중력을 높여 쉽게 개념을 익히고 기본을 탄탄하게 만듭니다.

3 문제 풀이로 실력 & 자신감 UP!

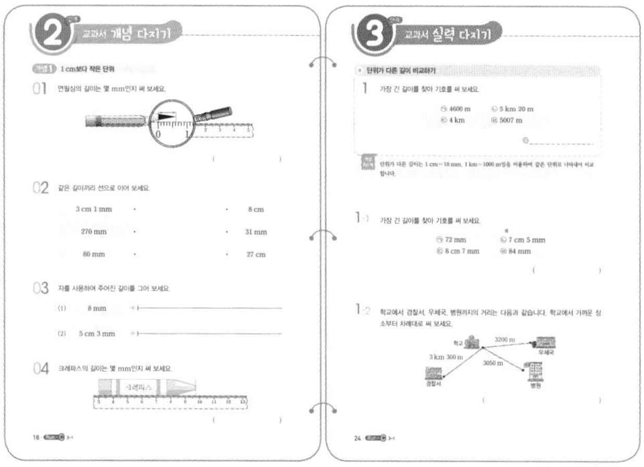

한 단계 더 나아간 교과서와 익힘 문제로 개념을 완성하고, 다양한 문제 유형으로 응용력을 키웁니다.

4 서술형 문제 풀이

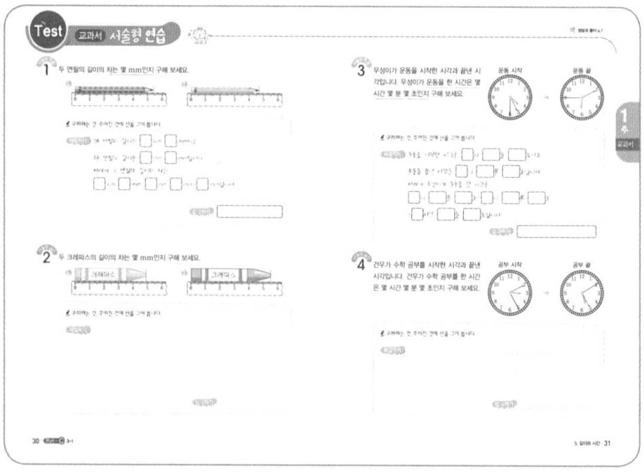

시험에 잘 나오는 서술형 문제 중심으로 단계별로 풀이하는 연습을 하여 서술하는 힘을 높여 줍니다.

교과 + 사고력

2주에 한 단원 완성!

2주차 사고력 확장 학습

1 사고력 PLAY

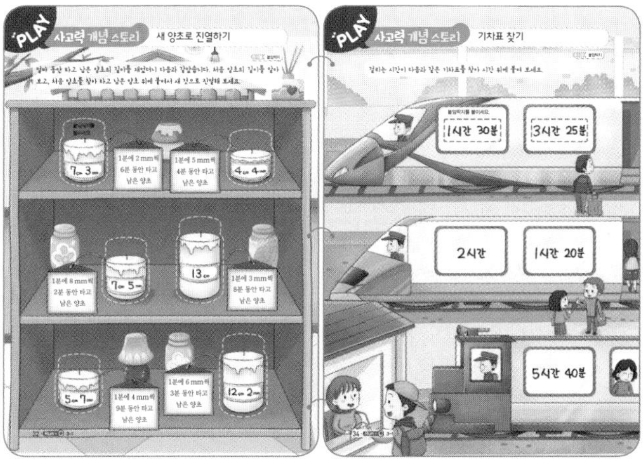

교과 심화 문제와 사고력 문제를 게임으로 쉽게 접근하여 어려운 문제에 대한 거부감을 낮추고 집중력을 높입니다.

2 교과 사고력 잡기

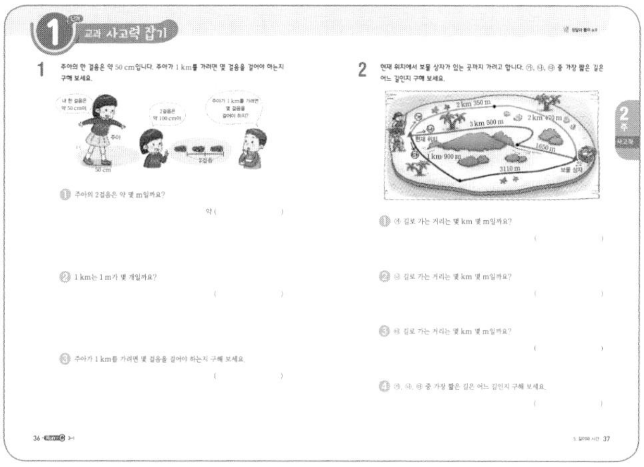

문제에 필요한 요소를 찾아 단계별로 해결하면서 문제 해결력을 키울 수 있는 힘을 기릅니다.

3 교과 사고력 확장+완성

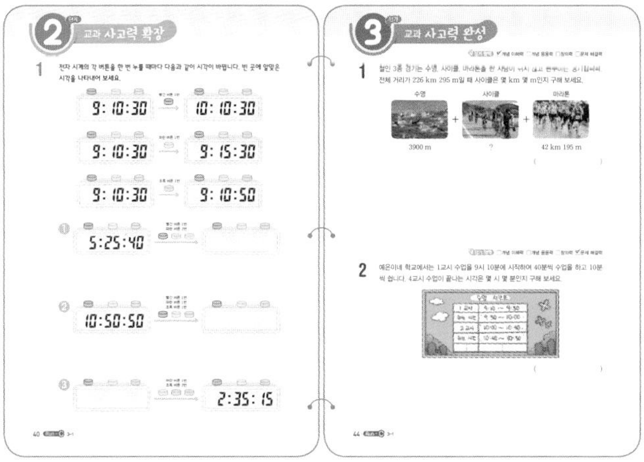

틀에서 벗어난 생각을 하여 문제를 해결하는 창의적 사고력을 기를 수 있는 힘을 기릅니다.

4 종합평가 / 특강

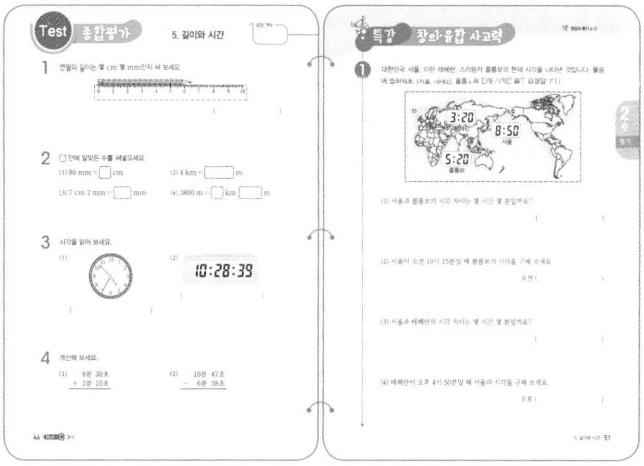

교과 학습과 사고력 학습을 얼마나 잘 이해하였는지 평가하여 배운 내용을 정리합니다.

5 길이와 시간

단원과 관련된
단위길이 이야기를
살펴보아요.

단위길이

옛날에는 왕의 몸을 길이를 재는 단위로 정해 사용했습니다.
그러다 보니 왕이 바뀔 때마다 길이를 재는 단위가 바뀌어 여러 가지 문제들이 생겼습니다.
그래서 영국의 왕 헨리 1세는 자신의 코끝에서 엄지손가락 끝까지의 길이만큼을 '1야드'라고 하여 길이를 재는 기준으로 정했습니다. 1야드는 약 91 cm입니다.

1야드＝약 91 cm

그럼 실생활에서 많이 사용되는 길이의 단위 사이의 관계를 알아볼까요?

1 cm와 1 m의 관계	1 m와 1 km의 관계
↓	↓
1 m＝100 cm	1 km＝1000 m

□ 안에 알맞은 수를 써넣으세요.

(1) 4 m = □ cm　　(2) 9 m = □ cm

(3) 500 cm = □ m　　(4) 700 cm = □ m

(5) 2 m 5 cm = 2 m + 5 cm
= □ cm + 5 cm = □ cm

(6) 8 m 60 cm = 8 m + 60 cm
= □ cm + 60 cm = □ cm

정민이와 민재의 키를 비교하여 알맞은 말에 ○표 하세요.

내 키는 130 cm야.
내 키는 1 m 30 cm야.
정민
민재

→ 정민이와 민재의 키는 서로 (같습니다 , 다릅니다).

1 단계 교과서 개념 잡기

개념 1 1 cm보다 작은 단위

• 1 mm: 1 cm를 10칸으로 똑같이 나누었을 때 작은 눈금 한 칸의 길이

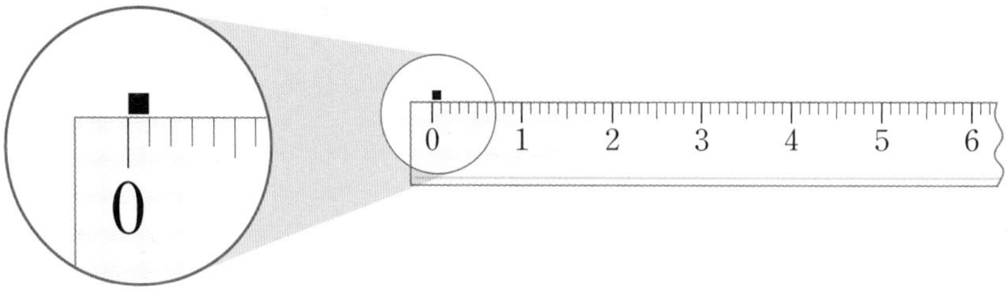
0
0 1 2 3 4 5 6

쓰기 1 mm

읽기 1 밀리미터

1 cm=10 mm

예 3 cm보다 7 mm 더 긴 것

쓰기 3 cm 7 mm

읽기 3 센티미터 7 밀리미터

3 cm 7 mm=3 cm+7 mm
=30 mm+7 mm=37 mm

3 cm 7 mm는 37 mm예요.

개념 2 1 m보다 큰 단위

• 1 km: 1000 m의 길이

쓰기 1 km

읽기 1 킬로미터

1000 m=1 km

예 5 km보다 600 m 더 긴 것

쓰기 5 km 600 m

읽기 5 킬로미터 600 미터

5 km 600 m=5 km+600 m
=5000 m+600 m=5600 m

5 km 600 m는 5600 m예요.

개념 확인 문제

1-1 ☐ 안에 알맞은 수를 써넣으세요.

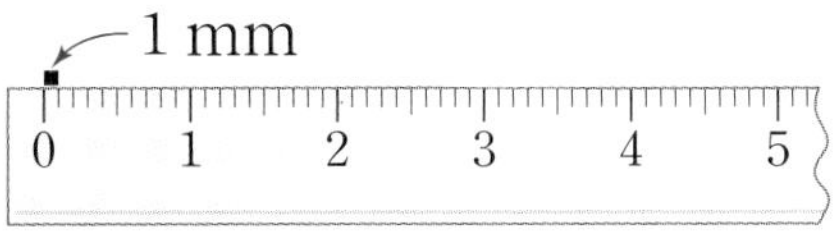

$$1 \text{ cm} = \boxed{} \text{ mm}$$

1-2 지우개의 길이는 몇 cm 몇 mm인지 써 보세요.

(   )

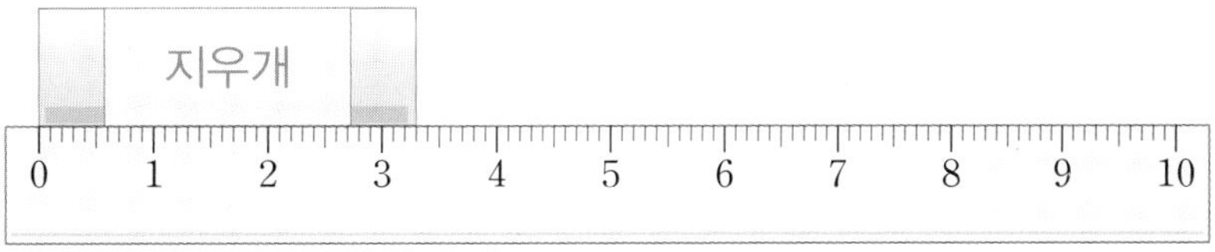

1-3 ☐ 안에 알맞은 수를 써넣으세요.

(1) $2 \text{ cm } 5 \text{ mm} = \boxed{} \text{ mm}$ (2) $6 \text{ cm } 4 \text{ mm} = \boxed{} \text{ mm}$

(3) $30 \text{ mm} = \boxed{} \text{ cm}$ (4) $18 \text{ mm} = \boxed{} \text{ cm } \boxed{} \text{ mm}$

2-1 그림을 보고 ☐ 안에 알맞은 수를 써넣으세요.

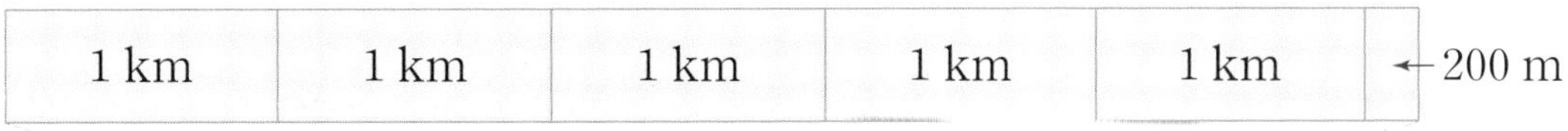

$$\boxed{} \text{ km } \boxed{} \text{ m}$$

2-2 ☐ 안에 알맞은 수를 써넣으세요.

(1) $2 \text{ km} = \boxed{} \text{ m}$ (2) $8 \text{ km } 400 \text{ m} = \boxed{} \text{ m}$

(3) $6000 \text{ m} = \boxed{} \text{ km}$ (4) $5030 \text{ m} = \boxed{} \text{ km } \boxed{} \text{ m}$

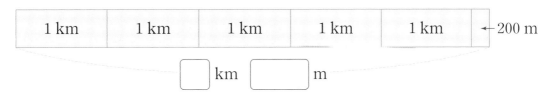

개념 3 길이와 거리를 어림하고 재어 보기

• 클립의 길이를 기준으로 풀의 길이를 어림하기

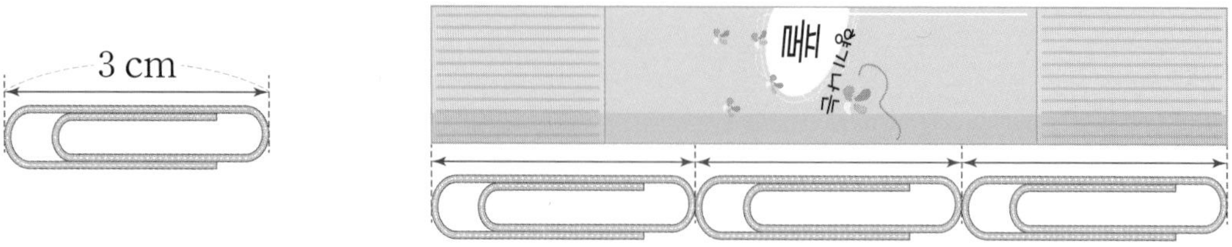

➡ 풀의 길이는 클립의 길이의 약 3배이므로 약 9 cm입니다.

• 거리 어림하기

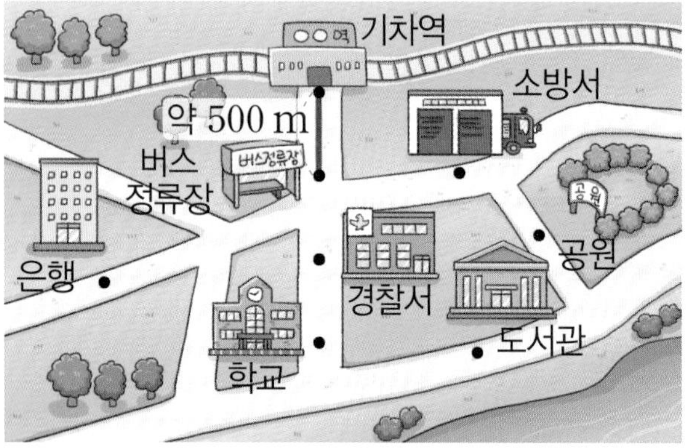

① 기차역에서 학교까지의 거리: 약 1 km 500 m
→ 기차역에서 버스 정류장까지의 거리의 3배입니다.

② 기차역에서 약 1 km 떨어진 곳에 있는 장소: 경찰서, 소방서
→ 1 km는 500 m의 2배이므로 기차역에서 버스 정류장까지의 거리의 2배인 곳을 찾아봅니다.

개념 4 길이의 덧셈과 뺄셈

• cm와 mm의 덧셈과 뺄셈

cm는 cm끼리, mm는 mm끼리 계산합니다.

	4 cm	2 mm
+	2 cm	3 mm
	6 cm	5 mm
	4+2=6	2+3=5

	7 cm	9 mm
−	5 cm	6 mm
	2 cm	3 mm
	7−5=2	9−6=3

• km와 m의 덧셈과 뺄셈

km는 km끼리, m는 m끼리 계산합니다.

	3 km	200 m
+	1 km	300 m
	4 km	500 m
	3+1=4	200+300=500

	5 km	800 m
−	2 km	500 m
	3 km	300 m
	5−2=3	800−500=300

3-1 과자의 길이를 어림하고 자로 재어 보세요.

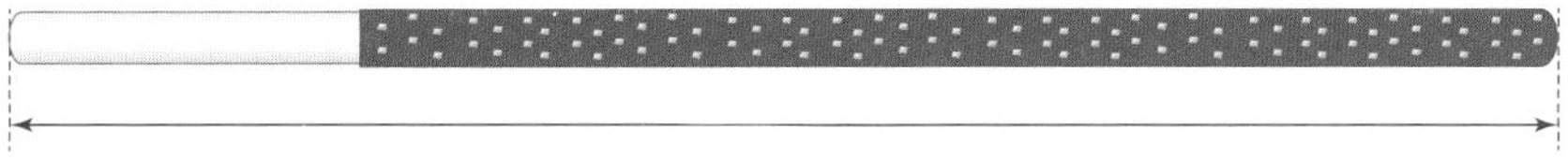

어림한 길이	잰 길이

3-2 학교에서 약 1 km 떨어진 곳에는 어떤 장소가 있는지 써 보세요.

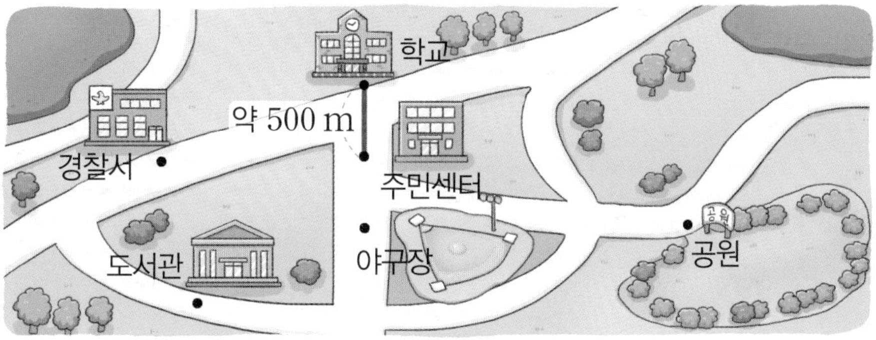

약 500 m

경찰서

학교

주민센터

도서관

야구장

공원

(   )

4-1 ☐ 안에 알맞은 수를 써넣으세요.

(1)
$$\begin{array}{r} 3\ \text{cm} \quad 2\ \text{mm} \\ +\ 1\ \text{cm} \quad 5\ \text{mm} \\ \hline \boxed{}\ \text{cm} \quad \boxed{}\ \text{mm} \end{array}$$

(2)
$$\begin{array}{r} 8\ \text{cm} \quad 7\ \text{mm} \\ -\ 4\ \text{cm} \quad 3\ \text{mm} \\ \hline \boxed{}\ \text{cm} \quad \boxed{}\ \text{mm} \end{array}$$

4-2 ☐ 안에 알맞은 수를 써넣으세요.

(1)
$$\begin{array}{r} 2\ \text{km} \quad 400\ \text{m} \\ +\ 4\ \text{km} \quad 300\ \text{m} \\ \hline \boxed{}\ \text{km} \quad \boxed{}\ \text{m} \end{array}$$

(2)
$$\begin{array}{r} 6\ \text{km} \quad 900\ \text{m} \\ -\ 5\ \text{km} \quad 600\ \text{m} \\ \hline \boxed{}\ \text{km} \quad \boxed{}\ \text{m} \end{array}$$

개념 5 1분보다 작은 단위

• 1초: 초바늘이 작은 눈금 한 칸을 가는 동안 걸리는 시간

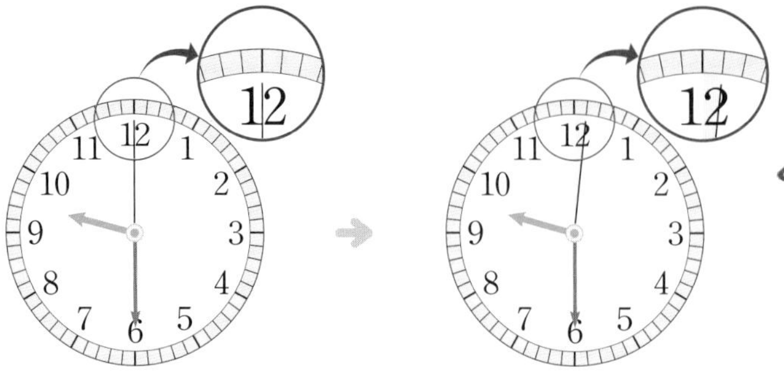

작은 눈금 한 칸=1초

• 60초: 초바늘이 시계를 한 바퀴 도는 데 걸리는 시간

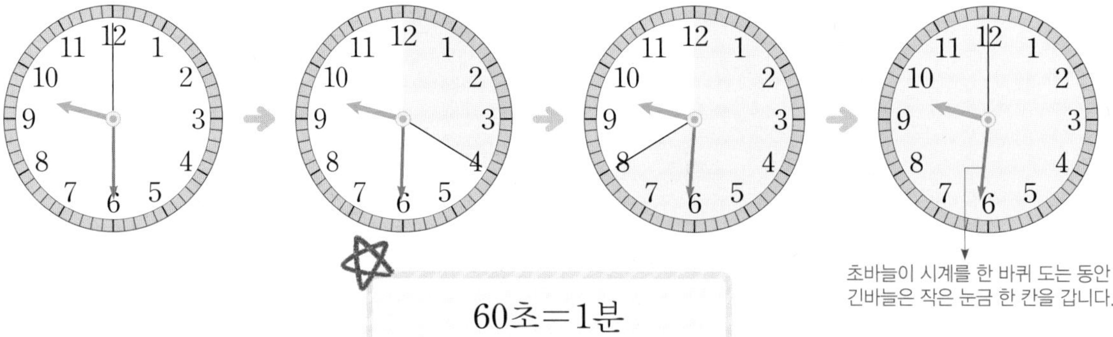
초바늘이 시계를 한 바퀴 도는 동안
긴바늘은 작은 눈금 한 칸을 갑니다.

60초=1분

개념 6 시각 읽기

초바늘이 가리키는 숫자와 나타내는 시각

가리키는 숫자	1	2	3	4	5	6	7	8	9	10	11
나타내는 시각	5초	10초	15초	20초	25초	30초	35초	40초	45초	50초	55초

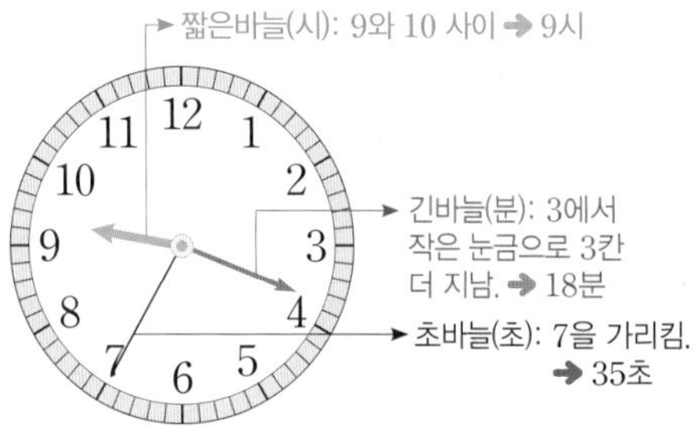
짧은바늘(시): 9와 10 사이 → 9시
긴바늘(분): 3에서 작은 눈금으로 3칸 더 지남. → 18분
초바늘(초): 7을 가리킴. → 35초

→ 9시 18분 35초

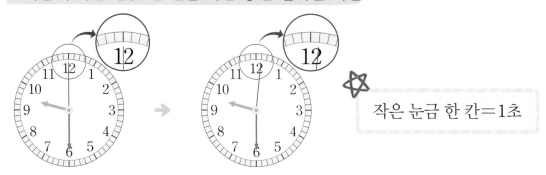

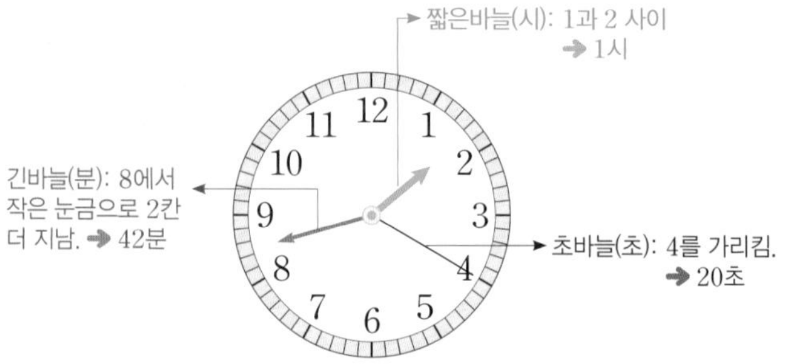
짧은바늘(시): 1과 2 사이 → 1시
긴바늘(분): 8에서 작은 눈금으로 2칸 더 지남. → 42분
초바늘(초): 4를 가리킴. → 20초

→ 1시 42분 20초

정답과 풀이 p.2

5-1 알맞은 말에 ○표 하세요.

(1) 초바늘이 작은 눈금 한 칸을 가는 동안 걸리는 시간은 (1초 , 60초)입니다.

(2) 초바늘이 시계를 한 바퀴 도는 데 걸리는 시간은 (1분 , 60분)입니다.

5-2 □ 안에 알맞은 수를 써넣으세요.

(1) 100초=□분 □초

(2) 150초=□분 □초

(3) 3분=□초

(4) 2분 15초=□초

6-1 시계에 초바늘을 알맞게 그려 보세요.

(1) 9시 30분 25초

(2) 3시 45분 32초

6-2 시각을 읽어 보세요.

(1)

□시 □분 □초

(2)

□시 □분 □초

개념 7 시간의 덧셈

시는 시끼리, 분은 분끼리, 초는 초끼리 계산합니다.

• 받아올림이 없는 시간의 덧셈

① (시간)＋(시간)＝(시간)

$$
\begin{array}{c}
4\text{시간} \quad 10\text{분} \quad 25\text{초} \\
+\ 1\text{시간} \quad 25\text{분} \quad 20\text{초} \\
\hline
5\text{시간} \quad 35\text{분} \quad 45\text{초}
\end{array}
$$

4＋1＝5　10＋25＝35　25＋20＝45

② (시각)＋(시간)＝(시각)

$$
\begin{array}{c}
4\text{시} \quad 35\text{분} \quad 10\text{초} \\
+\ 1\text{시간} \quad 20\text{분} \quad 30\text{초} \\
\hline
5\text{시} \quad 55\text{분} \quad 40\text{초}
\end{array}
$$

4＋1＝5　35＋20＝55　10＋30＝40

• 받아올림이 있는 시간의 덧셈

① (시간)＋(시간)＝(시간)

$$
\begin{array}{c}
43\text{분} \quad 50\text{초} \\
+\ 12\text{분} \quad 25\text{초} \\
\hline
55\text{분} \quad 75\text{초} \\
+1\text{분} \leftarrow -60\text{초} \\
\hline
56\text{분} \quad 15\text{초}
\end{array}
$$

> 60초를 1분으로 받아올림합니다.

② (시각)＋(시간)＝(시각)

$$
\begin{array}{c}
2\text{시} \quad 30\text{분} \quad 35\text{초} \\
+\ 3\text{시간} \quad 45\text{분} \quad 10\text{초} \\
\hline
5\text{시} \quad 75\text{분} \quad 45\text{초} \\
+1\text{시간} \leftarrow -60\text{분} \\
\hline
6\text{시} \quad 15\text{분} \quad 45\text{초}
\end{array}
$$

> 60분을 1시간으로 받아올림합니다.

개념 8 시간의 뺄셈

시는 시끼리, 분은 분끼리, 초는 초끼리 계산합니다.

• 받아내림이 없는 시간의 뺄셈

① (시간)－(시간)＝(시간)

$$
\begin{array}{c}
15\text{분} \quad 40\text{초} \\
-\ 5\text{분} \quad 20\text{초} \\
\hline
10\text{분} \quad 20\text{초}
\end{array}
$$

15－5＝10　40－20＝20

② (시각)－(시간)＝(시각)

$$
\begin{array}{c}
9\text{시} \quad 55\text{분} \quad 30\text{초} \\
-\ 2\text{시간} \quad 40\text{분} \quad 15\text{초} \\
\hline
7\text{시} \quad 15\text{분} \quad 15\text{초}
\end{array}
$$

9－2＝7　55－40＝15　30－15＝15

• 받아내림이 있는 시간의 뺄셈

① (시간)－(시간)＝(시간)

> 1분을 60초로 받아내림합니다.

$$
\begin{array}{c}
4\text{시간} \quad \overset{44}{45}\text{분} \quad \overset{60}{10}\text{초} \\
-\ 2\text{시간} \quad 30\text{분} \quad 50\text{초} \\
\hline
2\text{시간} \quad 14\text{분} \quad 20\text{초}
\end{array}
$$

└ 받아내림한 수
→ 60＋10＝70,
70－50＝20

② (시각)－(시각)＝(시간)

> 1시간을 60분으로 받아내림합니다.

$$
\begin{array}{c}
\overset{9}{10}\text{시} \quad \overset{60}{30}\text{분} \quad 55\text{초} \\
-\ 5\text{시} \quad 55\text{분} \quad 25\text{초} \\
\hline
4\text{시간} \quad 35\text{분} \quad 30\text{초}
\end{array}
$$

└ 받아내림한 수
→ 60＋30＝90,
90－55＝35

개념 확인 문제

7-1 □ 안에 알맞은 수를 써넣으세요.

(1)
9 분 20 초
\+ 4 분 15 초
□분 □초

(2)
1 시 25 분 10 초
\+ 1 시간 15 분 20 초
□시 □분 □초

7-2 지금은 5시 40분입니다. 45분 후의 시각을 구해 보세요.

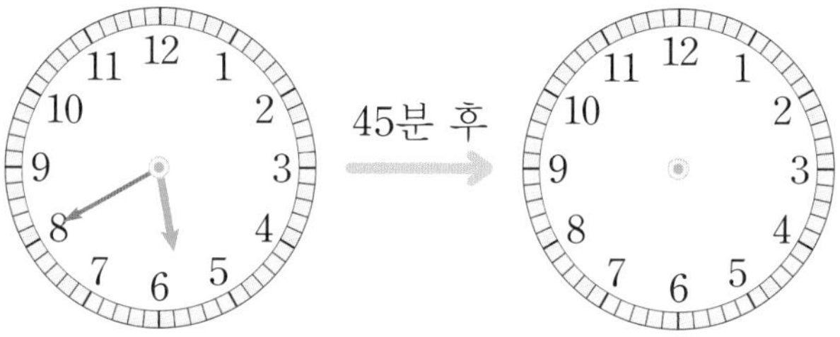

5 시 40 분
\+ 45 분
5 시 85 분
+1 시간 ← −60 분
□시 □분

8-1 □ 안에 알맞은 수를 써넣으세요.

(1)
10 분 45 초
− 6 분 10 초
□분 □초

(2)
3 시 45 분 55 초
− 1 시간 20 분 45 초
□시 □분 □초

8-2 지금은 11시 15분입니다. 30분 전의 시각을 구해 보세요.

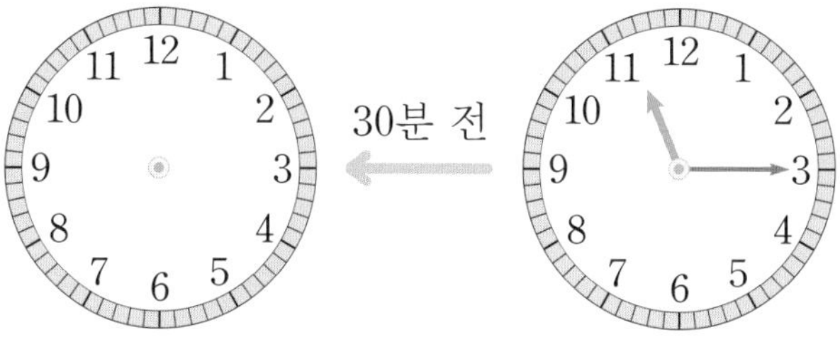

(10) ~~11~~ 시 (60) 15 분
− 30 분
□시 □분

준비물 붙임딱지

계산 결과가 써 있는 컵 붙임딱지를 찾아 붙여 보세요.

$$2 \text{ cm} \quad 3 \text{ mm}$$
$$+ \ 4 \text{ cm} \quad 4 \text{ mm}$$

붙임딱지를
붙이세요.

$$3 \text{ cm} \quad 2 \text{ mm}$$
$$+ \ 7 \text{ cm} \quad 8 \text{ mm}$$

$$4 \text{ cm} \quad 9 \text{ mm}$$
$$+ \ 3 \text{ cm} \quad 3 \text{ mm}$$

$$7 \text{ cm} \quad 2 \text{ mm}$$
$$- \ 4 \text{ cm} \quad 8 \text{ mm}$$

$$12 \text{ cm} \quad 5 \text{ mm}$$
$$- \ 6 \text{ cm} \quad 2 \text{ mm}$$

$$18 \text{ cm} \quad 4 \text{ mm}$$
$$- \ 5 \text{ cm} \quad 5 \text{ mm}$$

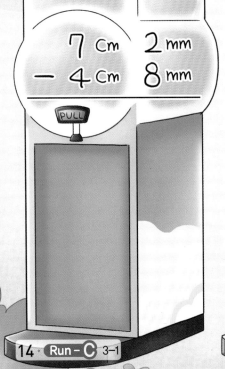

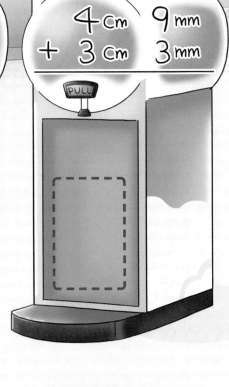

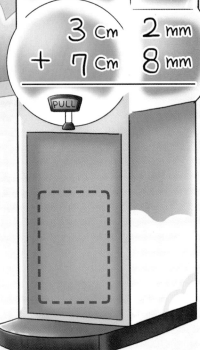

$$4 \text{ km } 200 \text{ m} + 2 \text{ km } 300 \text{ m}$$

$$3 \text{ km } 750 \text{ m} + 3 \text{ km } 700 \text{ m}$$

$$4 \text{ km } 500 \text{ m} + 7 \text{ km } 800 \text{ m}$$

$$9 \text{ km } 650 \text{ m} - 7 \text{ km } 500 \text{ m}$$

$$7 \text{ km } 800 \text{ m} - 3 \text{ km } 400 \text{ m}$$

$$9 \text{ km } 300 \text{ m} - 6 \text{ km } 900 \text{ m}$$

보트와 잠수함 수리하기

준비물 붙임딱지

계산 결과가 써 있는 붙임딱지를 붙여서 망가진 보트와 잠수함을 수리해 보세요.

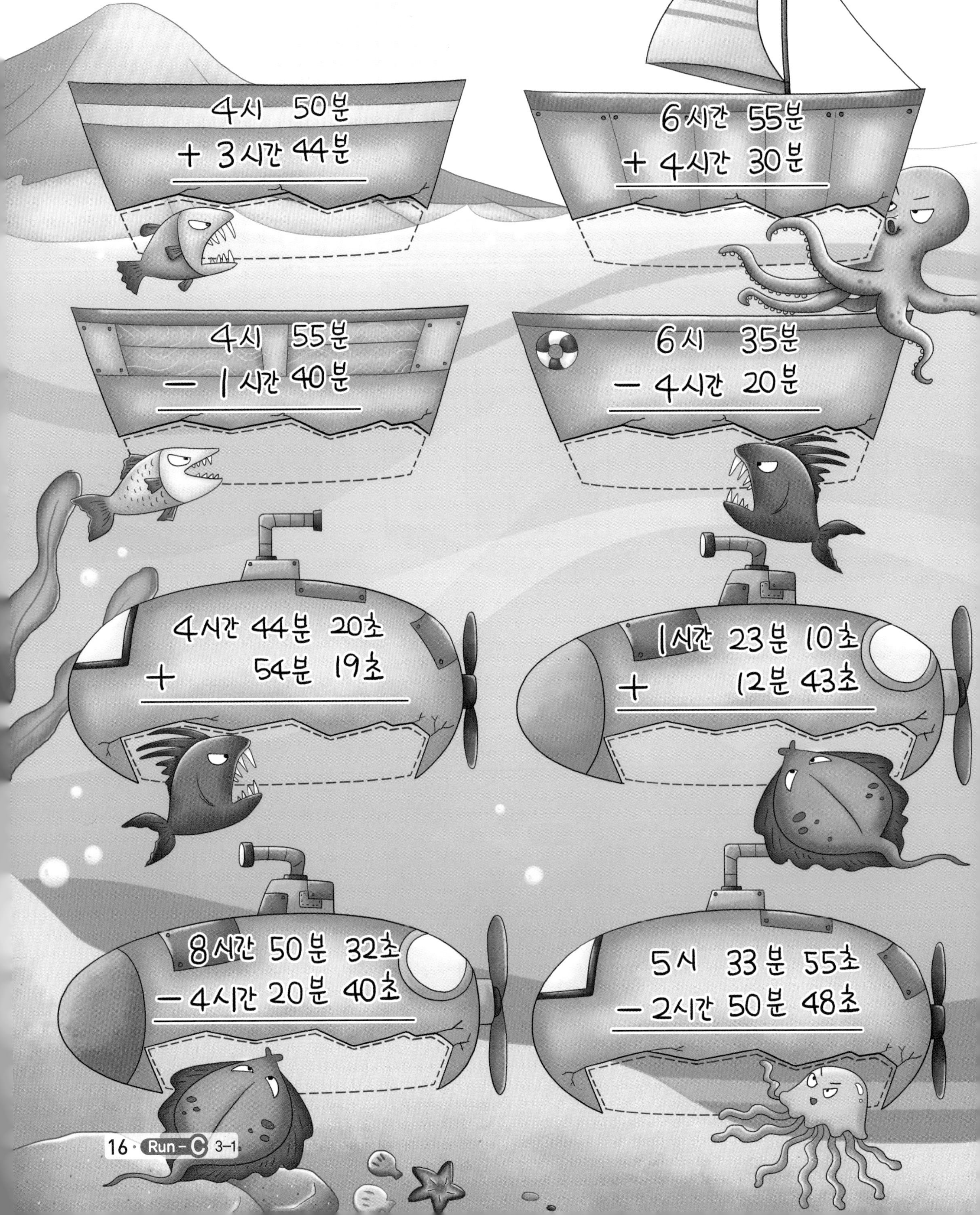
4시 50분 + 3시간 44분
6시간 55분 + 4시간 30분
4시 55분 − 1시간 40분
6시 35분 − 4시간 20분
4시간 44분 20초 + 54분 19초
1시간 23분 10초 + 12분 43초
8시간 50분 32초 − 4시간 20분 40초
5시 33분 55초 − 2시간 50분 48초

2시 10분	4시간 27분
+ 1시간 35분	+ 4시간 50분

3시 43분	7시 30분
− 1시 50분	− 3시 36분

2시 30분 25초	3시 45분 55초
+ 17분 15초	+ 1시간 45분 20초

4시 27분 19초	3시간 24분 10초
− 1시 16분 28초	− 34분 12초

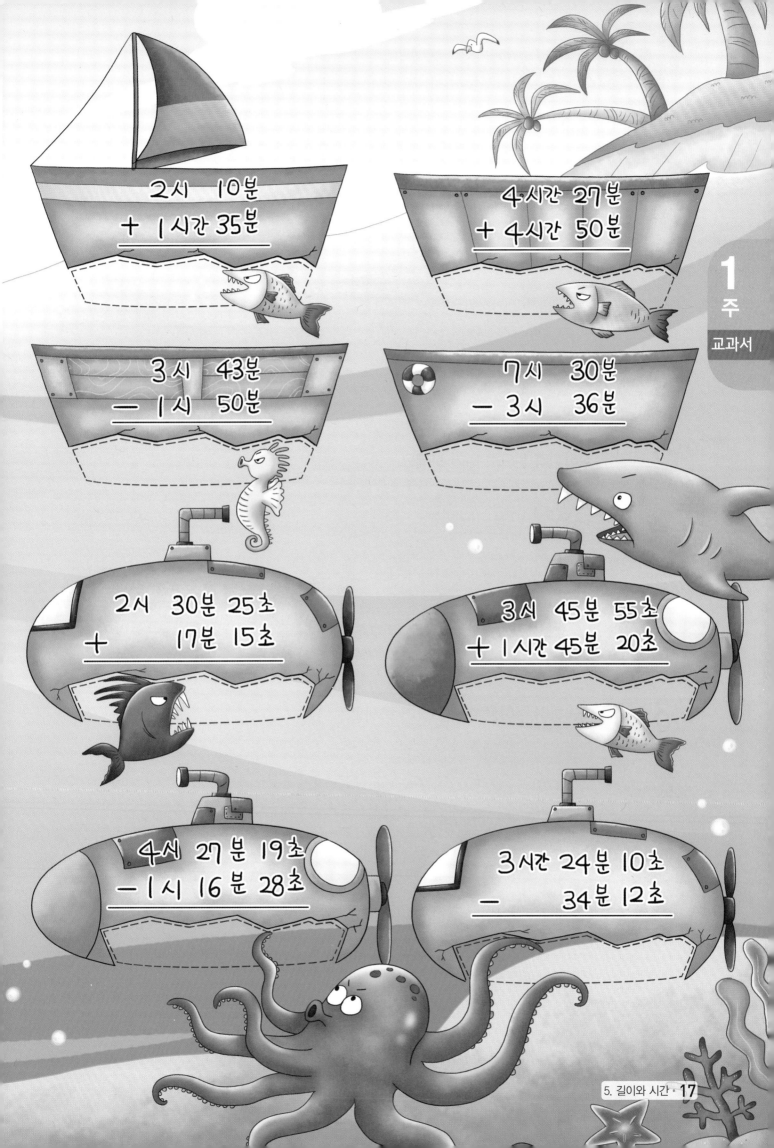

개념 1 1 cm보다 작은 단위

01 연필심의 길이는 몇 mm인지 써 보세요.

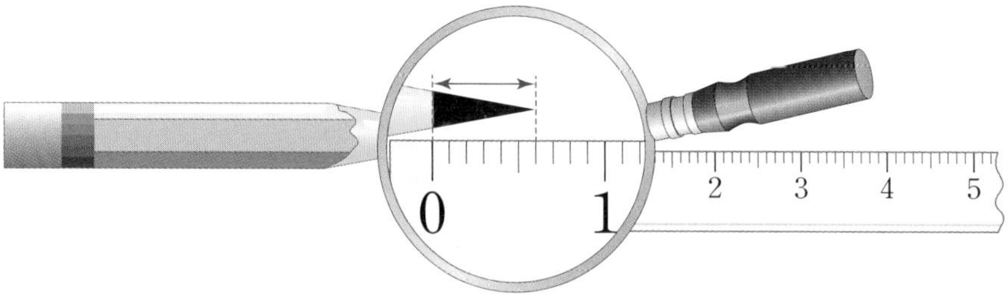

( )

02 같은 길이끼리 선으로 이어 보세요.

3 cm 1 mm •	• 8 cm
270 mm •	• 31 mm
80 mm •	• 27 cm

03 자를 사용하여 주어진 길이를 그어 보세요.

(1) 8 mm ➜ ⊢-----------------------

(2) 5 cm 3 mm ➜ ⊢-----------------------

04 크레파스의 길이는 몇 mm인지 써 보세요.

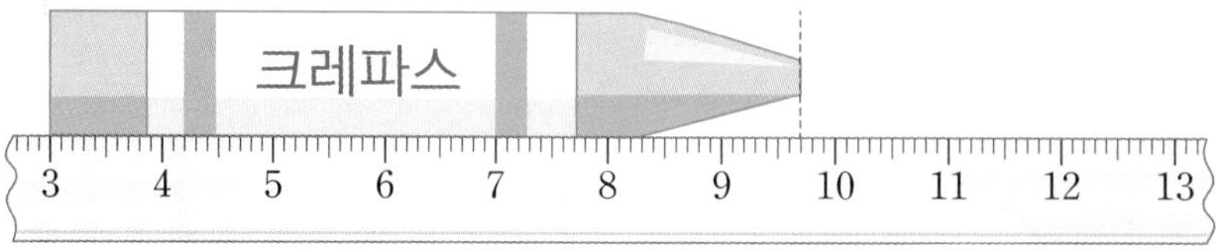

( )

개념 2 1 m보다 큰 단위

05 □ 안에 알맞은 수를 써넣으세요.

(1) 2 km보다 840 m 더 먼 거리 → □ km □ m

(2) 7 km보다 605 m 더 먼 거리 → □ km □ m

06 같은 길이끼리 선으로 이어 보세요.

5 km 200 m •	• 5200 m
6 km 70 m •	• 1750 m
1 km 750 m •	• 6070 m

07 수직선을 보고 □ 안에 알맞은 수를 써넣으세요.

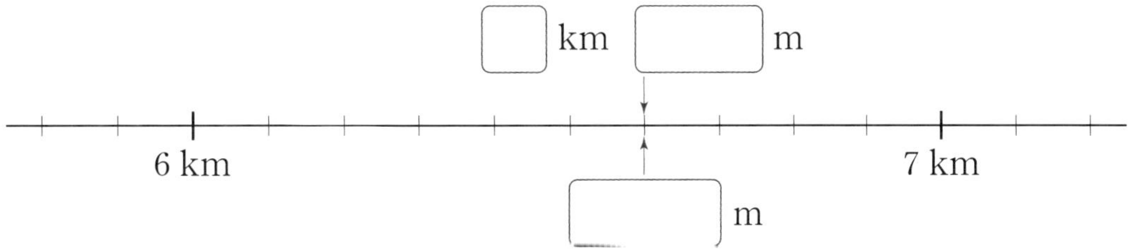

08 다음 중 단위를 잘못 쓴 문장을 찾아 옳게 고쳐 보세요.

• 학교 건물의 높이는 약 15 km입니다.
• 공원의 둘레는 약 2 km입니다.
• 3 km 50 m는 3050 m입니다.

옳게 고치기 ______________________

개념 3 길이와 거리를 어림하고 재기

09 알맞은 길이를 찾아 ◯표 하세요.

(1)

운동화 긴 쪽의 길이는
약 (22 mm , 22 cm)입니다.

(2)

산의 높이는 약 (1 km , 1 m)입니다.

10 보기 에서 알맞은 길이를 골라 문장을 완성해 보세요.

보기		
15 mm	3 m 10 cm	2 km 300 m

(1) 칠판의 긴 쪽 길이는 약 [ ] 입니다.

(2) 우리 집에서 영화관까지의 거리는 약 [ ] 입니다.

11 학교에서 약 900 m 떨어진 곳에는 어떤 장소가 있는지 써 보세요.

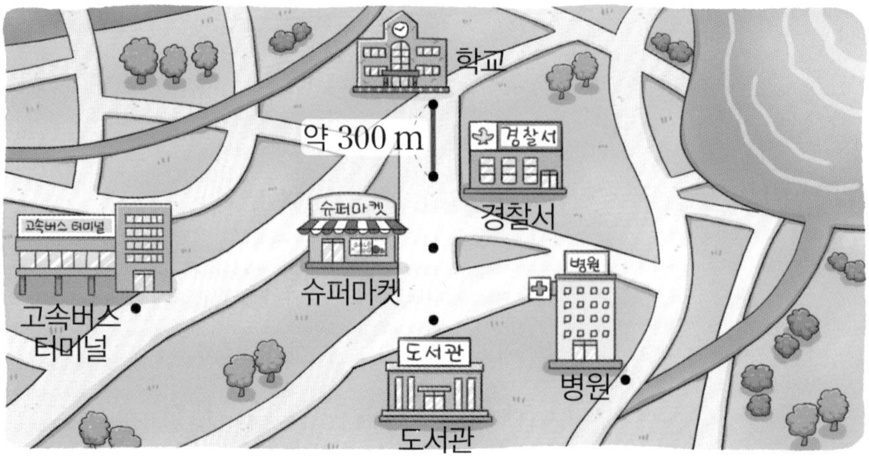

( )

정답과 풀이 p.5

개념 4 1분보다 작은 단위

12 같은 시간끼리 선으로 이어 보세요.

2분 15초 •	• 190초
1분 30초 •	• 90초
3분 10초 •	• 135초

13 시각을 읽어 보세요.

(1)

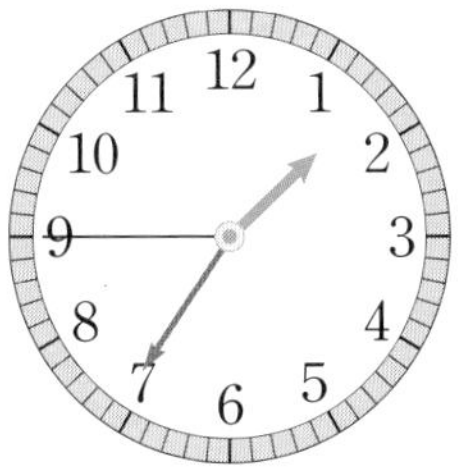

☐시 ☐분 ☐초

(2)

☐시 ☐분 ☐초

14 보기 와 같이 ☐ 안에 알맞은 시간의 단위를 써넣으세요.

> 보기
>
> 저녁 식사를 하는 시간: 30 [분]

(1) 횡단보도에서 초록색 신호등이 켜져 있는 시간: 20 ☐

(2) 하루에 학교에서 생활하는 시간: 5 ☐

(3) 피아노 학원에서 피아노를 배우는 시간: 60 ☐

개념 5 시간의 덧셈

15 □ 안에 알맞은 수를 써넣으세요.

10분 34초 → (+3분 48초) → □분 □초

16 보람이는 1시 15분+5분 30초를 다음과 같이 잘못 계산했습니다. 옳게 고쳐 보세요.

	1시	15분
+	5분	30초
	6시	45분

→ □

17 정호는 운동을 3시 20분에 시작하여 1시간 30분 동안 했습니다. 정호가 운동을 끝낸 시각은 몇 시 몇 분인지 구해 보세요.

(　　　　　　)

18 오른쪽 시계가 나타내는 시각에서 3분 30초 후의 시각은 몇 시 몇 분 몇 초인지 구해 보세요.

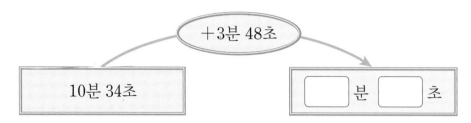

(　　　　　　)

개념 6 시간의 뺄셈

19 □ 안에 알맞은 수를 써넣으세요.

−12분 35초

24분 55초 → □분 □초

20 4시−2시간 10분을 바르게 계산한 친구를 찾아 이름을 써 보세요.

(　　　　　　　　)

21 보미는 등산을 하는 데 3시간 28분 50초가 걸렸고, 승기는 3시간 20분 45초가 걸렸습니다. 보미는 승기보다 등산하는 데 몇 분 몇 초 더 오래 걸렸는지 구해 보세요.

(　　　　　　　　)

22 뮤지컬 공연을 관람하기 시작한 시작과 끝낸 시각입니다. 뮤지컬 공연을 관람한 시간은 몇 시간 몇 분 몇 초인지 구해 보세요.

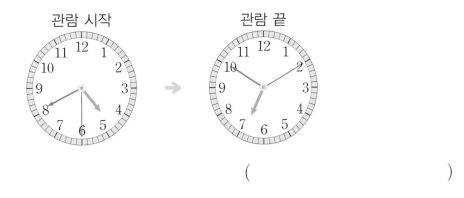

관람 시작

관람 끝

(　　　　　　　　)

3단계 교과서 실력 다지기

★ 단위가 다른 길이 비교하기

1 가장 긴 길이를 찾아 기호를 써 보세요.

㉠ 4600 m　　㉡ 5 km 20 m
㉢ 4 km　　㉣ 5007 m

답 ________________

개념 피드백 단위가 다른 길이는 1 cm=10 mm, 1 km=1000 m임을 이용하여 같은 단위로 나타내어 비교합니다.

1-1 가장 긴 길이를 찾아 기호를 써 보세요.

㉠ 72 mm　　㉡ 7 cm 5 mm
㉢ 8 cm 7 mm　　㉣ 84 mm

(　　　　　　)

1-2 학교에서 경찰서, 우체국, 병원까지의 거리는 다음과 같습니다. 학교에서 가까운 장소부터 차례대로 써 보세요.

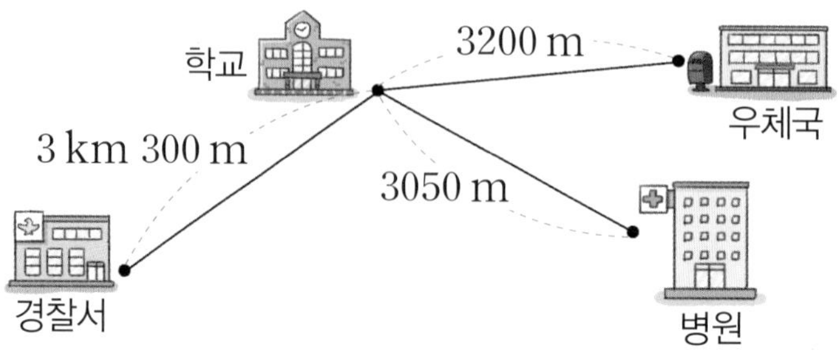

(　　　　　　)

★ 단위가 다른 시간 비교하기

2 시간이 짧은 것부터 차례대로 기호를 써 보세요.

㉠ 370초　　㉡ 6분 15초
㉢ 330초　　㉣ 7분 10초

답 ________________

개념 피드백 단위가 다른 시간은 1분=60초임을 이용하여 같은 단위로 나타내어 비교합니다.

2-1 시간이 짧은 것부터 차례대로 기호를 써 보세요.

㉠ 2분 10초　　㉡ 195초
㉢ 1분 57초　　㉣ 115초

(　　　　　　　　)

2-2 영빈이네 모둠 친구들의 600 m 달리기 기록입니다. 기록이 가장 빠른 사람은 누구인지 이름을 써 보세요.

이름	기록	이름	기록
영빈	2분 42초	주호	182초
인성	170초	찬희	2분 55초

(　　　　　　　　)

★ 시간의 덧셈과 뺄셈 알아보기

3 ☐ 안에 알맞은 수를 써넣으세요.

(1)
$$
\begin{array}{r}
\boxed{} \ \text{분} \quad 20 \ \text{초} \\
+ \quad 40 \ \text{분} \ \boxed{} \ \text{초} \\
\hline
55 \ \text{분} \quad 30 \ \text{초}
\end{array}
$$

(2)
$$
\begin{array}{r}
6 \ \text{시간} \ \boxed{} \ \text{분} \\
- \ \boxed{} \ \text{시간} \quad 30 \ \text{분} \\
\hline
3 \ \text{시간} \quad 15 \ \text{분}
\end{array}
$$

개념 피드백

• 시간의 덧셈과 뺄셈

① 시는 시끼리, 분은 분끼리, 초는 초끼리 계산합니다.

② 초끼리나 분끼리의 합이 60이거나 60보다 크면 분이나 시간으로 받아올림하여 계산합니다.

③ 초끼리나 분끼리 뺄 수 없을 때에는 분이나 시간에서 받아내림하여 계산합니다.

3-1 ☐ 안에 알맞은 수를 써넣으세요.

(1)
$$
\begin{array}{r}
4 \ \text{분} \ \boxed{} \ \text{초} \\
+ \ \boxed{} \ \text{분} \quad 25 \ \text{초} \\
\hline
6 \ \text{분} \quad 45 \ \text{초}
\end{array}
$$

(2)
$$
\begin{array}{r}
\boxed{} \ \text{시간} \quad 37 \ \text{분} \\
- \quad 2 \ \text{시간} \ \boxed{} \ \text{분} \\
\hline
3 \ \text{시간} \quad 15 \ \text{분}
\end{array}
$$

3-2 ☐ 안에 알맞은 수를 써넣으세요.

(1)
$$
\begin{array}{r}
4 \ \text{시} \quad 37 \ \text{분} \\
+ \ \boxed{} \ \text{시간} \quad 45 \ \text{분} \\
\hline
6 \ \text{시} \ \boxed{} \ \text{분}
\end{array}
$$

(2)
$$
\begin{array}{r}
28 \ \text{분} \ \boxed{} \ \text{초} \\
- \ \boxed{} \ \text{분} \quad 50 \ \text{초} \\
\hline
2 \ \text{분} \quad 40 \ \text{초}
\end{array}
$$

★ **단위가 다른 길이의 덧셈과 뺄셈**

4 두 길이의 합과 차는 각각 몇 cm 몇 mm인지 구해 보세요.

$$35 \text{ mm} \qquad 4 \text{ cm } 9 \text{ mm}$$

합 (   ), 차 (   )

> **개념 피드백** 단위가 다른 길이의 덧셈과 뺄셈은 길이의 단위 사이의 관계를 이용하여 같은 단위로 통일한 다음 계산합니다.
>
> | 1 cm = 10 mm | | 1 km = 1000 m |

4-1 두 길이의 합과 차는 각각 몇 km 몇 m인지 구해 보세요.

$$2860 \text{ m} \qquad 4 \text{ km } 550 \text{ m}$$

합 (   ), 차 (   )

4-2 준호네 집에서 약국을 지나 마트까지의 거리는 몇 km 몇 m인지 구해 보세요.

준호네 집   2480 m   약국   2 km 800 m   마트

(   )

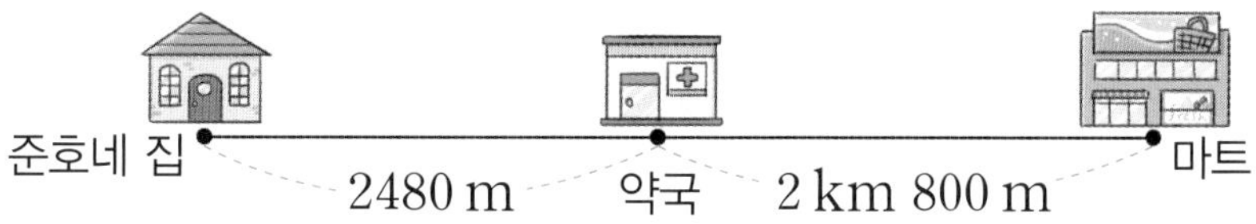

★ 출발한 시각, 도착한 시각 구하기

5 윤주는 집에서 출발한지 1시간 20분 42초 후인 5시 36분 55초에 박물관에 도착했습니다. 윤주가 집에서 출발한 시각은 몇 시 몇 분 몇 초인지 식을 쓰고 답을 구해 보세요.

식 ______________________

답 ______________

개념 피드백
① (출발한 시각)=(도착한 시각)−(걸린 시간)
② (도착한 시각)=(출발한 시각)+(걸린 시간)

5-1 형연이는 과학관에서 출발한지 2시간 15분 50초 후인 10시 48분 20초에 집에 도착했습니다. 형연이가 과학관에서 출발한 시각은 몇 시 몇 분 몇 초인지 식을 쓰고 답을 구해 보세요.

식 ______________________

답 ______________

5-2 민재가 집에서 병원까지 가는 데 걸린 시간은 1시간 40분 16초입니다. 민재가 병원에 가려고 집에서 7시 52분 32초에 나왔다면 병원에 도착한 시각은 몇 시 몇 분 몇 초인지 식을 쓰고 답을 구해 보세요.

식 ______________________

답 ______________

★ 걸리는 시간 구하기

6 기차를 타고 서울에서 부산까지 가려고 합니다. ㉮ 기차와 ㉯ 기차의 기차표를 보고 서울에서 부산까지 가는 데 어느 기차가 더 오래 걸리는지 구해 보세요.

㉮ 기차

㉯ 기차

답 ______________

개념 피드백
① (걸린 시간)=(도착한 시각)−(출발한 시각)
② 시간의 뺄셈에서 (시각)−(시각)=(시간)입니다.

6-1 윤아와 현지 중에서 누가 더 오래 통화를 했는지 써 보세요.

이름	통화 시작 시각	통화 종료 시각
윤아	9시 5분 25초	9시 9분 30초
현지	10시 17분 20초	10시 22분 8초

(   )

6-2 축구 경기와 야구 경기를 시작한 시각과 끝낸 시각입니다. 축구와 야구 중 어느 것이 몇 분 몇 초 더 오래 경기를 했는지 차례로 써 보세요.

축구 시작

축구 끝

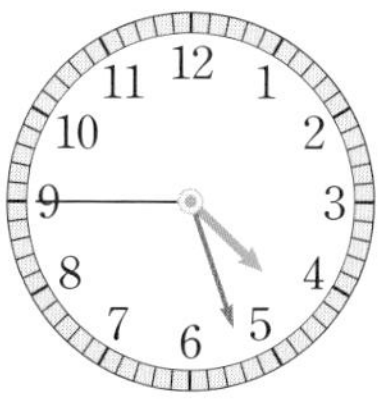

야구 시작

야구 끝

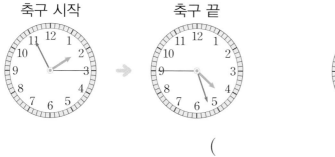

(   ), (   )

Test 교과서 서술형 연습

서술형 연습

1 두 연필의 길이의 차는 몇 mm인지 구해 보세요.

㉮
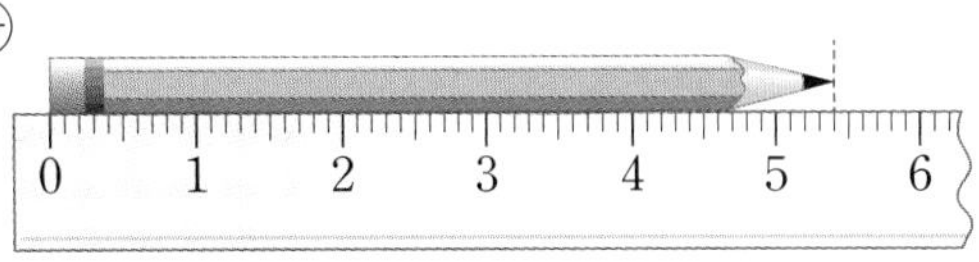

㉯
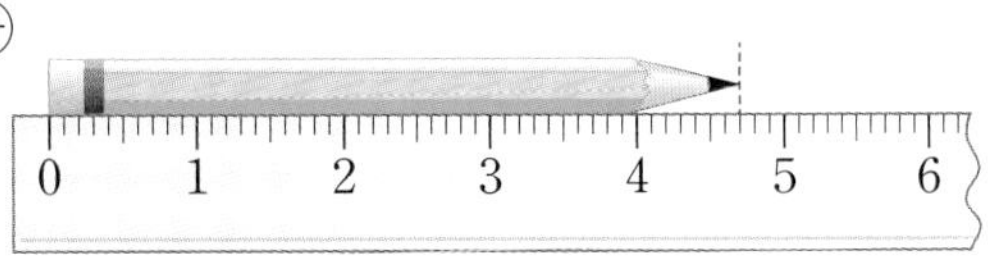

구하려는 것, 주어진 것에 선을 그어 봅니다.

해결하기 ㉮ 연필의 길이는 ☐ cm ☐ mm이고

㉯ 연필의 길이는 ☐ cm ☐ mm입니다.

따라서 두 연필의 길이의 차는

☐ cm ☐ mm − ☐ cm ☐ mm = ☐ mm입니다.

답 구하기 ☐

서술형 실전

2 두 크레파스의 길이의 차는 몇 mm인지 구해 보세요.

㉮
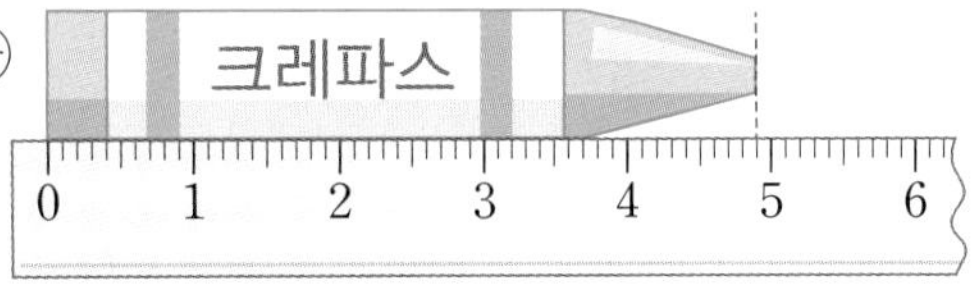

㉯

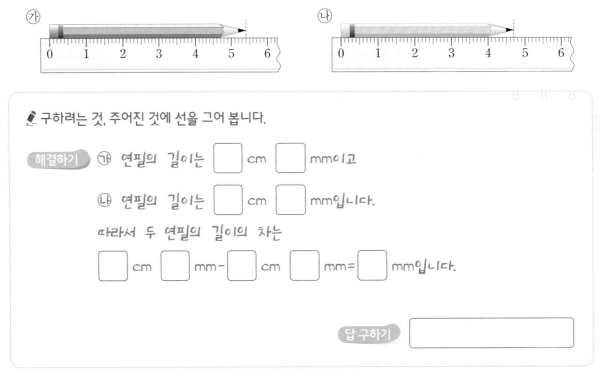

구하려는 것, 주어진 것에 선을 그어 봅니다.

해결하기

답 구하기

정답과 풀이 p.7

서술형 연습

3 우성이가 운동을 시작한 시각과 끝낸 시각입니다. 우성이가 운동을 한 시간은 몇 시간 몇 분 몇 초인지 구해 보세요.

운동 시작 운동 끝

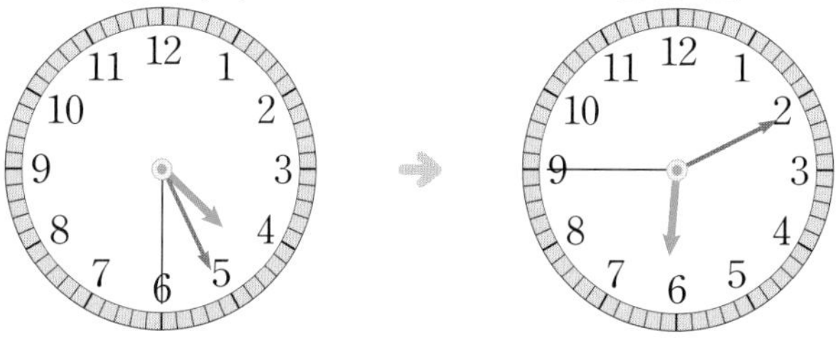

구하려는 것, 주어진 것에 선을 그어 봅니다.

해결하기 운동을 시작한 시각은 ☐시 ☐분 ☐초이고

운동을 끝낸 시각은 ☐시 ☐분 ☐초입니다.

따라서 우성이가 운동을 한 시간은

☐시 ☐분 ☐초 − ☐시 ☐분 ☐초

= ☐시간 ☐분 ☐초입니다.

답 구하기 ☐

서술형 실전

4 건우가 수학 공부를 시작한 시각과 끝낸 시각입니다. 건우가 수학 공부를 한 시간은 몇 시간 몇 분 몇 초인지 구해 보세요.

공부 시작 공부 끝

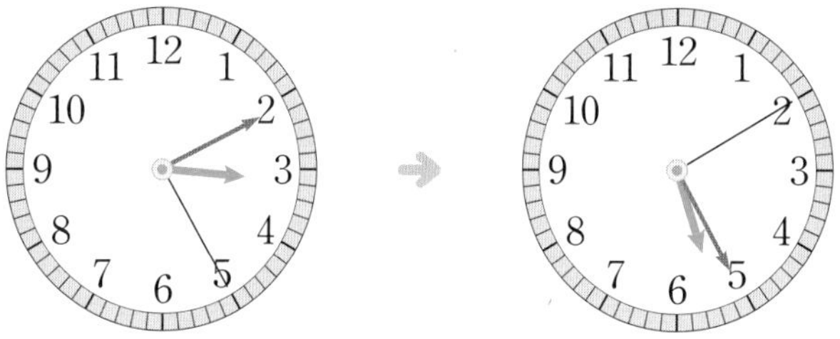

구하려는 것, 주어진 것에 선을 그어 봅니다.

해결하기

답 구하기

PLAY 사고력 개념 스토리 새 양초로 진열하기

준비물 붙임딱지

얼마 동안 타고 남은 양초의 길이를 재었더니 다음과 같았습니다. 처음 양초의 길이를 알아보고, 처음 양초를 찾아 타고 남은 양초 위에 붙여서 새 것으로 진열해 보세요.

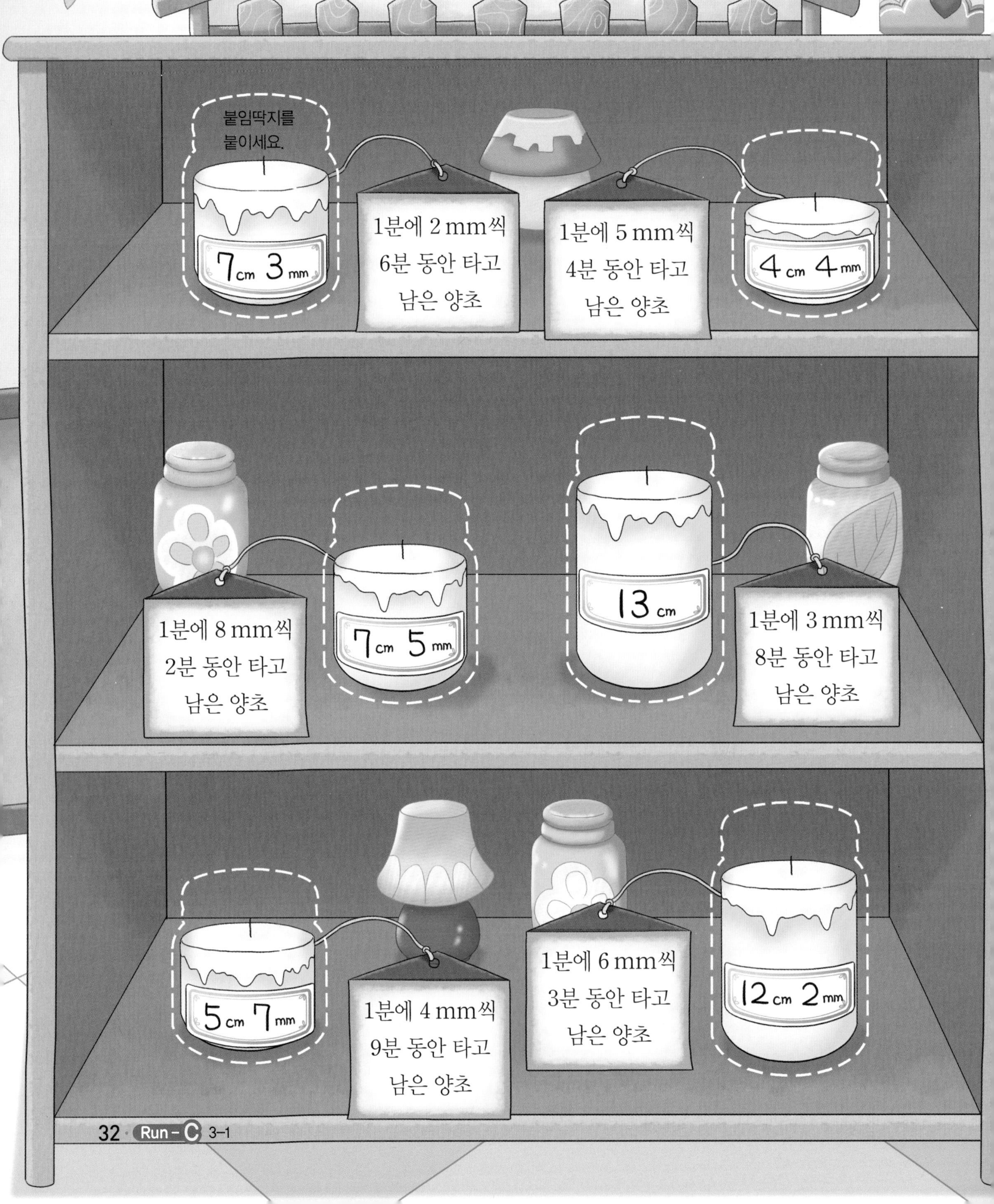
붙임딱지를 붙이세요.
7 cm 3 mm
1분에 2 mm씩 6분 동안 타고 남은 양초
1분에 5 mm씩 4분 동안 타고 남은 양초
4 cm 4 mm
1분에 8 mm씩 2분 동안 타고 남은 양초
7 cm 5 mm
13 cm
1분에 3 mm씩 8분 동안 타고 남은 양초
5 cm 7 mm
1분에 4 mm씩 9분 동안 타고 남은 양초
1분에 6 mm씩 3분 동안 타고 남은 양초
12 cm 2 mm

2 주
사고력

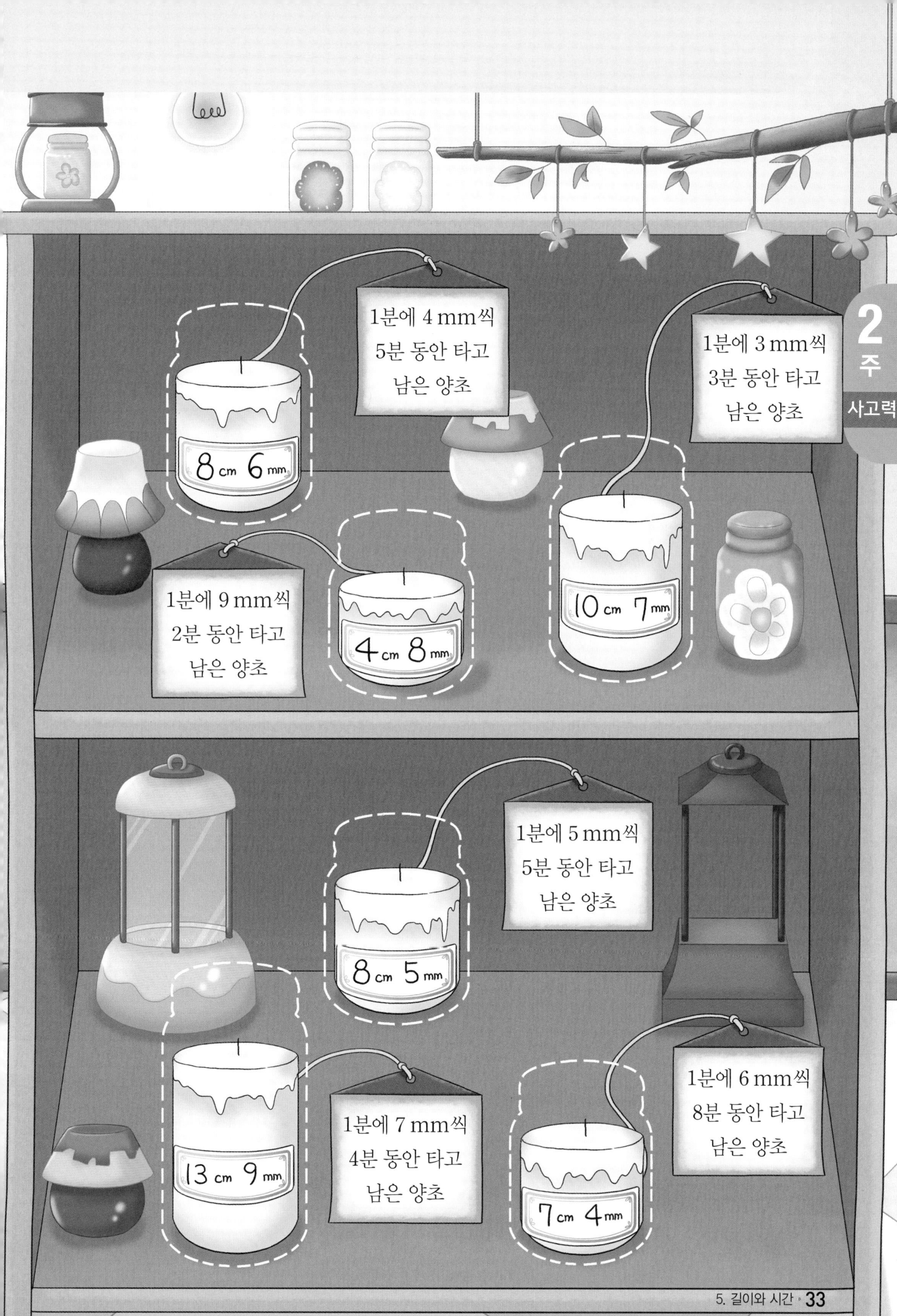
1분에 4 mm씩 5분 동안 타고 남은 양초
8 cm 6 mm
1분에 3 mm씩 3분 동안 타고 남은 양초
10 cm 7 mm
1분에 9 mm씩 2분 동안 타고 남은 양초
4 cm 8 mm
1분에 5 mm씩 5분 동안 타고 남은 양초
8 cm 5 mm
13 cm 9 mm
1분에 7 mm씩 4분 동안 타고 남은 양초
1분에 6 mm씩 8분 동안 타고 남은 양초
7 cm 4 mm

준비물 붙임딱지

걸리는 시간이 다음과 같은 기차표를 찾아 시간 위에 붙여 보세요.

붙임딱지를 붙이세요.

1시간 30분

3시간 25분

2시간

1시간 20분

5시간 40분

1시간 40분
3시간 30분
3시간 40분
2시간 30분
3시간 20분
2시간 45분

1 단계 교과 사고력 잡기

1 **주아의 한 걸음은 약 $50\ \mathrm{cm}$입니다. 주아가 $1\ \mathrm{km}$를 가려면 몇 걸음을 걸어야 하는지 구해 보세요.**

① 주아의 2걸음은 약 몇 m일까요?

약 (   )

② 1 km는 1 m가 몇 개일까요?

(   )

③ 주아가 1 km를 가려면 몇 걸음을 걸어야 하는지 구해 보세요.

(   )

2

현재 위치에서 보물 상자가 있는 곳까지 가려고 합니다. ㉮, ㉯, ㉰ 중 가장 짧은 길은 어느 길인지 구해 보세요.

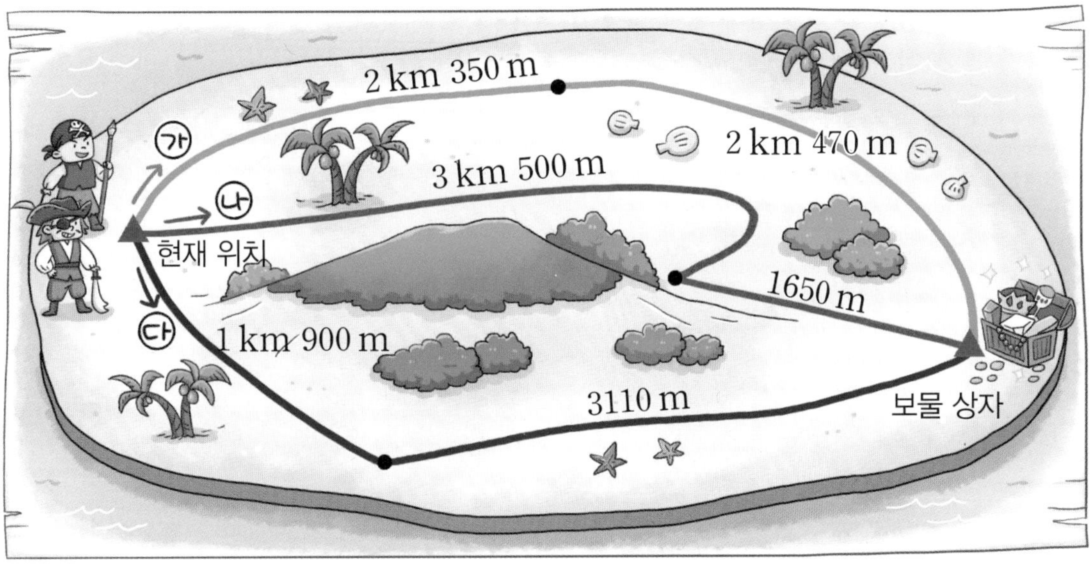

1 ㉮ 길로 가는 거리는 몇 km 몇 m일까요?

( )

2 ㉯ 길로 가는 거리는 몇 km 몇 m일까요?

( )

3 ㉰ 길로 가는 거리는 몇 km 몇 m일까요?

( )

4 ㉮, ㉯, ㉰ 중 가장 짧은 길은 어느 길인지 구해 보세요.

( )

3 **준호와 승기가 공부한 시간을 나타낸 표가 물에 젖어 일부가 보이지 않습니다. 누가 공부를 더 오래 했는지 구해 보세요. (단, 준호와 승기는 쉬지않고 공부를 했습니다.)**

준호가 공부한 시간

시작 시각	10시
국어 공부 시간	35분 50초
영어 공부 시간	1시간 5분 10초
수학 공부 시간	1시간 7분 45초
끝낸 시각	

승기가 공부한 시간

시작 시각	8시 30분
국어 공부 시간	40분 25초
영어 공부 시간	
수학 공부 시간	1시간 15분 20초
끝낸 시각	11시 10분 20초

1 준호가 공부한 시간은 모두 몇 시간 몇 분 몇 초일까요?

( )

2 승기가 공부한 시간은 모두 몇 시간 몇 분 몇 초일까요?

( )

3 준호와 승기 중 누가 공부를 더 오래 했는지 구해 보세요.

( )

4 **현재 시각은 오전 11시 40분이고 마술 공연 시작 시각은 오후 2시 15분입니다. 명준이네 가족은 마술 공연이 시작하기 전에 다녀올 곳을 정하려고 합니다. 몇 번 코스가 알맞은지 모두 구해 보세요.**

일정		소요 시간
①번 코스	집 → 박물관 → 공원 → 공연장	190분
②번 코스	집 → 수족관 → 전망대 → 공연장	150분
③번 코스	집 → 유람선 → 미술관 → 공연장	2시간 40분
④번 코스	집 → 전망대 → 과학관 → 공연장	2시간 15분

1 마술 공연이 시작하기 전까지 남은 시간은 몇 시간 몇 분일까요?

( )

2 ①번 코스와 ②번 코스 일정의 소요 시간은 몇 시간 몇 분인지 각각 구해 보세요.

①번 코스 ( )

②번 코스 ( )

3 마술 공연이 시작하기 전에 다녀올 곳으로 알맞은 코스를 모두 찾아 써 보세요.

( )

2 단계 교과 사고력 확장

1 전자 시계의 각 버튼을 한 번 누를 때마다 다음과 같이 시각이 바뀝니다. 빈 곳에 알맞은 시각을 나타내어 보세요.

❶

5:25:40
빨간 버튼 1번,
파란 버튼 2번

❷

10:50:50
빨간 버튼 1번,
파란 버튼 1번,
초록 버튼 1번

❸

파란 버튼 1번,
초록 버튼 2번
2:35:15

2 ㉠에서 ㉡까지의 거리는 몇 km 몇 m인지 구해 보세요.

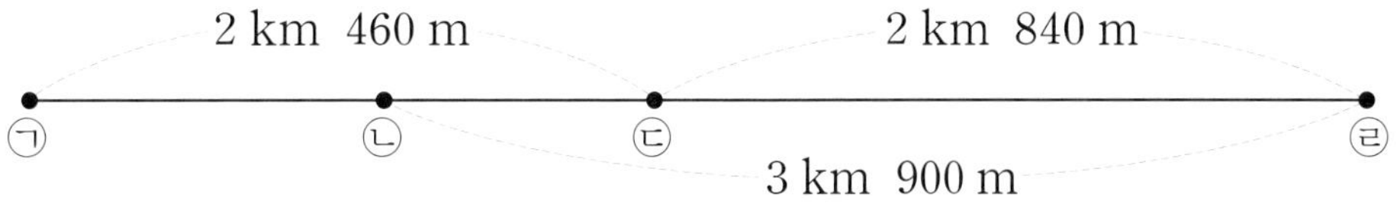

(　　　　　　　　　)

3 ㉠에서 ㉣까지의 거리는 몇 km 몇 m인지 구해 보세요.

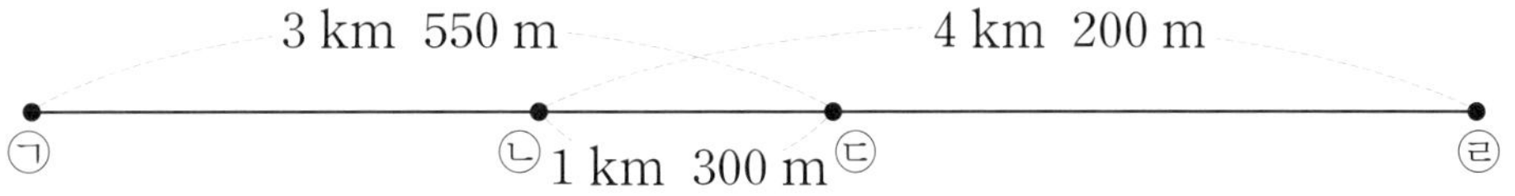

(　　　　　　　　　)

4 ㉡에서 ㉢까지의 거리는 몇 km 몇 m인지 구해 보세요.

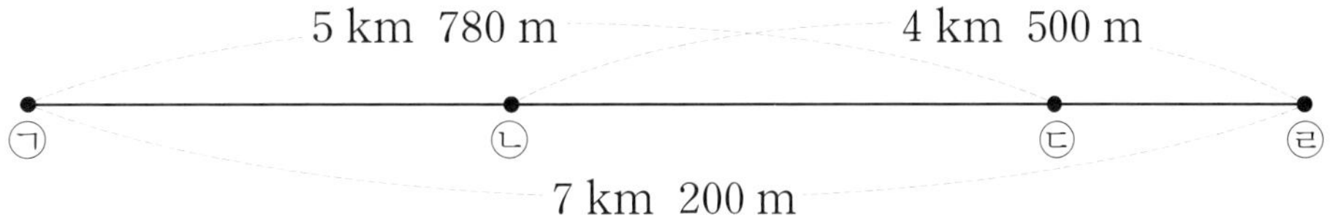

(　　　　　　　　　)

5 거울에 비친 시계의 모습입니다. 빈칸에 알맞은 시각을 써 보세요.

❶

1시간 45분 후 →

❷

← 2시간 15분 50초 전

❸

3시간 15분 30초 후 →

정답과 풀이 p.10

6 **똑같은 직사각형 12개를 겹치지 않게 붙여서 만든 도형입니다. 검은색 선의 길이는 몇 cm 몇 mm인지 구해 보세요.**

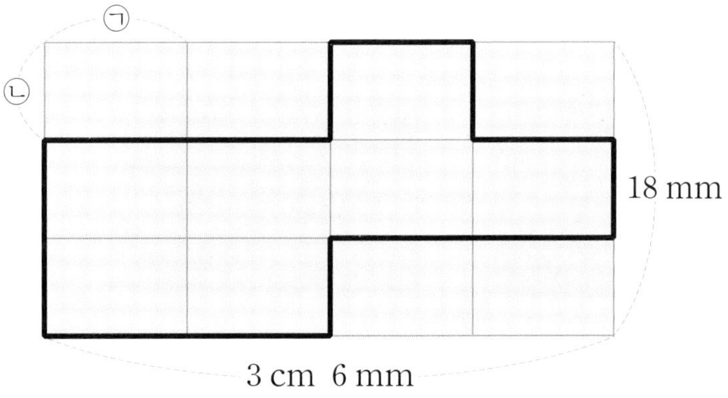

1. ㉠의 길이는 몇 mm일까요?

( )

2. ㉡의 길이는 몇 mm일까요?

( )

3. 검은색 선의 길이는 몇 cm 몇 mm인지 구해 보세요.

( )

3 단계 교과 사고력 완성

평가 영역 ☑개념 이해력 □개념 응용력 □창의력 □문제 해결력

1 철인 3종 경기는 수영, 사이클, 마라톤을 한 사람이 쉬지 않고 완주하는 경기입니다. 전체 거리가 226 km 295 m일 때 사이클은 몇 km 몇 m인지 구해 보세요.

수영

3900 m

+

사이클

?

+

마라톤

42 km 195 m

(　　　　　　　　)

평가 영역 □개념 이해력 □개념 응용력 □창의력 ☑문제 해결력

2 예은이네 학교에서는 1교시 수업을 9시 10분에 시작하여 40분씩 수업을 하고 10분씩 쉽니다. 4교시 수업이 끝나는 시각은 몇 시 몇 분인지 구해 보세요.

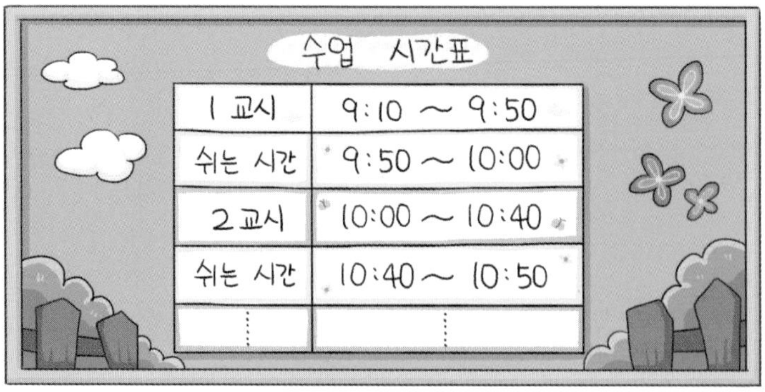
수업 시간표

1교시	9:10 ~ 9:50
쉬는 시간	9:50 ~ 10:00
2교시	10:00 ~ 10:40
쉬는 시간	10:40 ~ 10:50
⋮	⋮

(　　　　　　　　)

평가 영역 □개념 이해력 ☑개념 응용력 □창의력 □문제 해결력

3 길이가 18 cm 6 mm인 색 테이프 5장을 다음과 같이 15 mm씩 겹치게 이어 붙였습니다. 이어 붙인 색 테이프 전체의 길이는 몇 cm인지 구해 보세요.

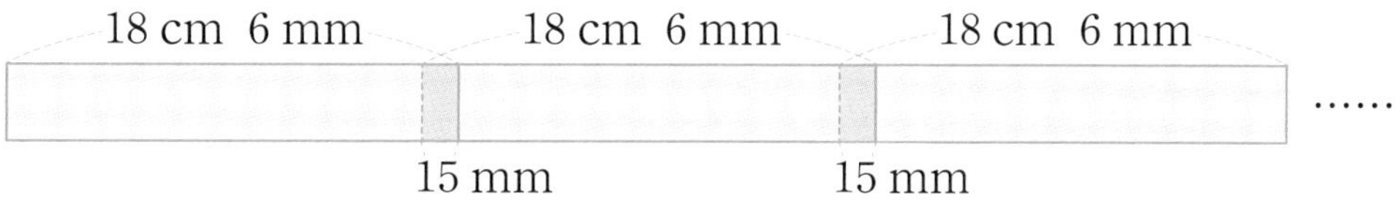

(　　　　　　　　)

평가 영역 □개념 이해력 □개념 응용력 ☑창의력 □문제 해결력

4 어느 날 해가 뜬 시각은 오전 5시 12분 35초이고, 해가 진 시각은 오후 6시 30분 55초입니다. 이날 밤의 길이는 몇 시간 몇 분 몇 초인지 구해 보세요.

오전 5시 12분 35초

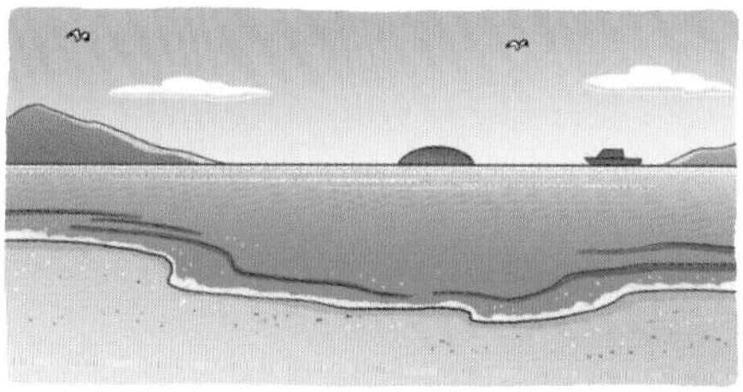
오후 6시 30분 55초

(　　　　　　　　)

1 연필의 길이는 몇 cm 몇 mm인지 써 보세요.

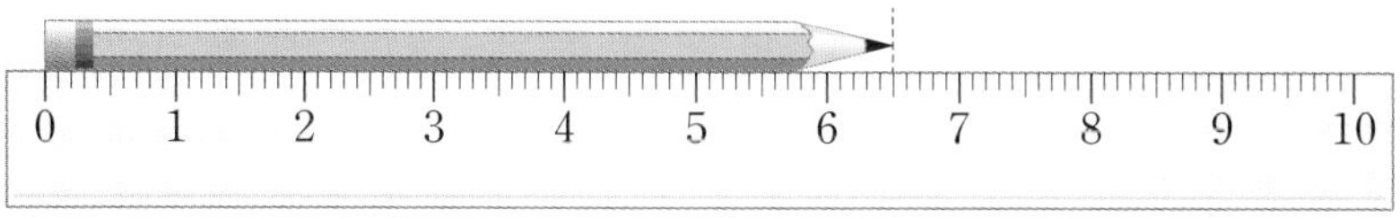

(   )

2 □ 안에 알맞은 수를 써넣으세요.

(1) 80 mm=□ cm

(2) 4 km=□ m

(3) 7 cm 2 mm=□ mm

(4) 3800 m=□ km □ m

3 시각을 읽어 보세요.

(1)

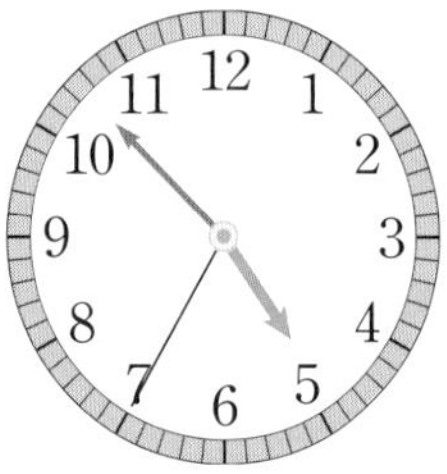

(   )

(2)

(   )

4 계산해 보세요.

(1)

	8분 30초
+	2분 10초

(2)

	10분 47초
−	6분 28초

5 수직선을 보고 □ 안에 알맞은 수를 써넣으세요.

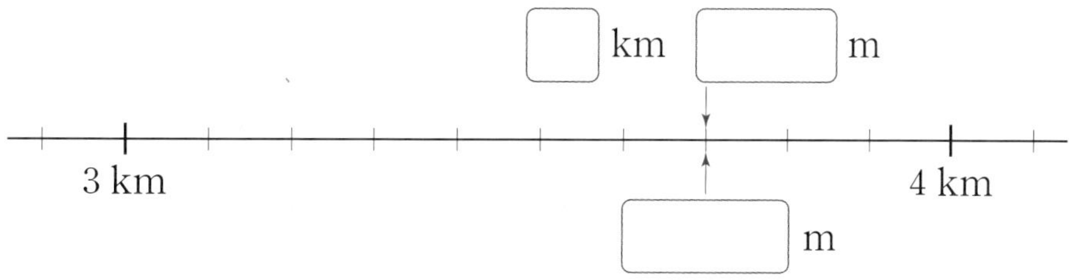

6 길이를 비교하여 ○ 안에 >, =, <를 알맞게 써넣으세요.

(1) 8300 m ○ 8 km 450 m

(2) 4 km 600 m ○ 4060 m

7 같은 시간끼리 선으로 이어 보세요.

2분 10초 •	• 195초
1분 40초 •	• 130초
3분 15초 •	• 100초

8 옳은 문장을 찾아 ○표 하세요.

- 수학 익힘책의 두께는 약 7 cm입니다. (　　　)
- 혜미의 키는 약 130 cm입니다. (　　　)
- 우리 집 현관 문의 높이는 약 2 km입니다. (　　　)

9 전자 시계가 나타내는 시각과 같게 오른쪽 시계에 초바늘을 그려 넣으세요.

10 □ 안에 m와 km 중 알맞은 단위를 써넣으세요.

(1) 지리산의 높이는 약 2 [ ] 입니다.

(2) 교실 칠판의 긴 쪽의 길이는 약 8 [ ] 입니다.

11 계산이 <u>잘못된</u> 곳을 찾아 옳게 고쳐 보세요.

$$
\begin{array}{r}
3시\quad 47분 \\
+\ 2시간\ 30분 \\
\hline
5시간\ 17분
\end{array}
$$
→ [ ]

12 □ 안에 알맞은 수를 써넣으세요.

(1) 6 cm 5 mm + 22 mm = [ ] mm

(2) 172 mm − 8 cm 1 mm = [ ] cm [ ] mm

(3) 5 km 200 m + 2750 m = [ ] km [ ] m

(4) 8500 m − 4 km 200 m = [ ] m

13 □ 안에 알맞은 수를 써넣으세요.

	29	분	□	초
+	□	분	43	초
	46	분	22	초

14 학교와 병원 중 공원에서 더 가까운 곳은 어디이고, 몇 m 더 가까운지 차례로 써 보세요.

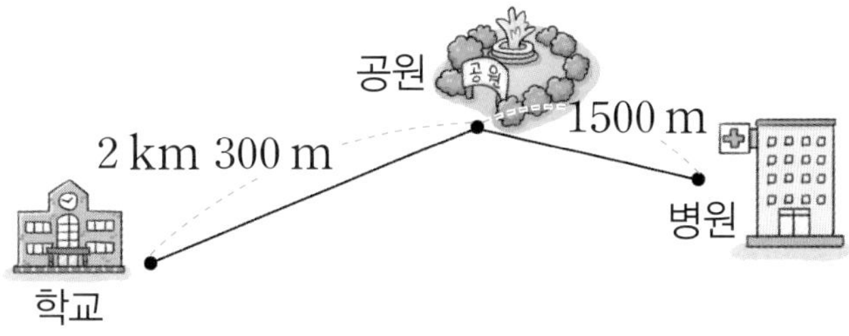

( ), ( )

15 지금 시각은 4시 20분입니다. 지금부터 1시간 45분 후의 시각은 몇 시 몇 분인지 구해 보세요.

( )

16 현영이가 게임을 시작한 시각과 끝낸 시각입니다. 현영이가 게임을 한 시간은 몇 분 몇 초인지 구해 보세요.

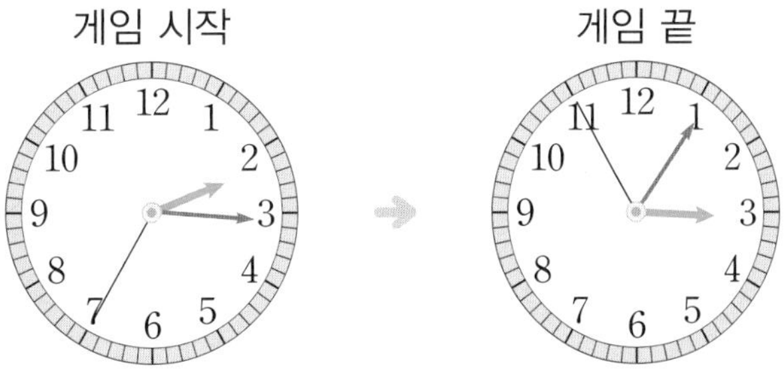

( )

17 어느 날 해가 뜬 시각은 오전 6시 48분 54초이고, 해가 진 시각은 오후 7시 50분 45초였습니다. 이날 낮의 길이는 몇 시간 몇 분 몇 초인지 구해 보세요.

( )

18 ㉠에서 ㉣까지의 거리는 6 km 420 m입니다. ㉡에서 ㉢까지의 거리는 몇 km 몇 m인지 구해 보세요.

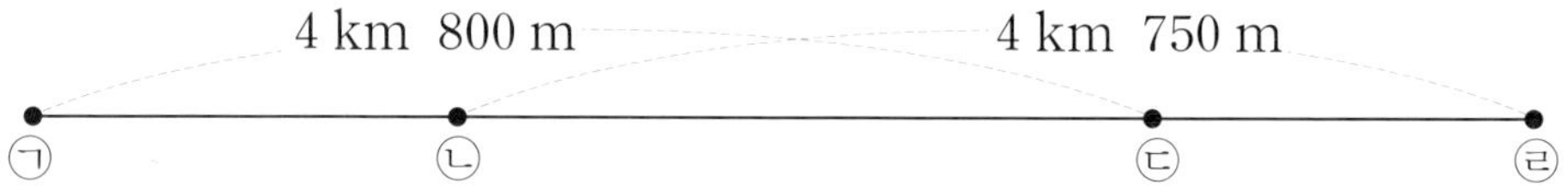

( )

19 지율이와 친구들은 영화를 보려고 영화관에 도착하여 거울에 비친 시계를 보았더니 다음과 같았습니다. 영화관에 도착한 시각에서 가장 가까운 시각에 시작하는 영화를 보려면 몇 시간 몇 분 몇 초를 기다려야 하는지 구해 보세요. (단, 시간이 지난 영화는 볼 수 없습니다.)

영화 시간표

1회	1시 20분	4회	6시 50분
2회	3시 10분	5회	8시 40분
3회	5시	6회	10시 30분

( )

정답과 풀이 p.12

특강 창의·융합 사고력

1 대한민국 서울, 이란 테헤란, 스리랑카 콜롬보의 현재 시각을 나타낸 것입니다. 물음에 답하세요. (서울, 테헤란, 콜롬보의 현재 시각은 모두 오전입니다.)

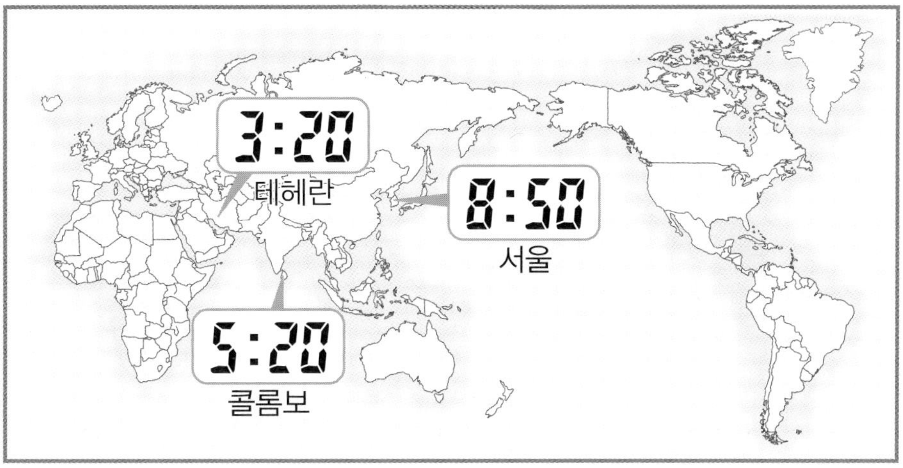

(1) 서울과 콜롬보의 시각 차이는 몇 시간 몇 분일까요?

( )

(2) 서울이 오전 10시 15분일 때 콜롬보의 시각을 구해 보세요.

오전 ( )

(3) 서울과 테헤란의 시각 차이는 몇 시간 몇 분일까요?

( )

(4) 테헤란이 오후 4시 50분일 때 서울의 시각을 구해 보세요.

오후 ( )

6 분수와 소수

단원과 관련된
피자 나누기를
살펴보아요.

피자 나누어 먹기

진주와 명철이는 배가 고파서 각자 피자 한 판씩을 시켰습니다.
두 사람의 대화를 보고 두 사람의 피자를 찾아 선으로 이어 보세요.

진주

피자 8조각 중에서
2조각을 먹었어.

명철

내가 더 많이 먹었네.
난 8조각 중
4조각을 먹었어.

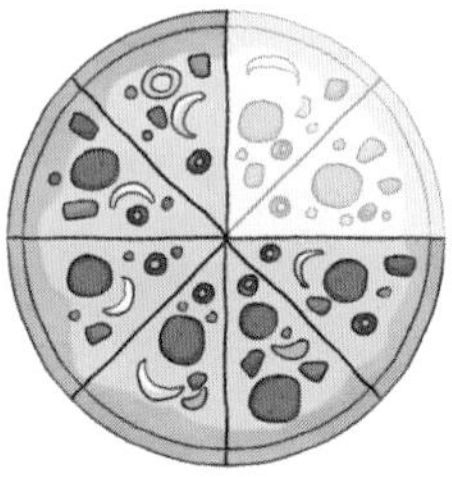

피자는 똑같이 8조각으로 나누어져 있습니다.

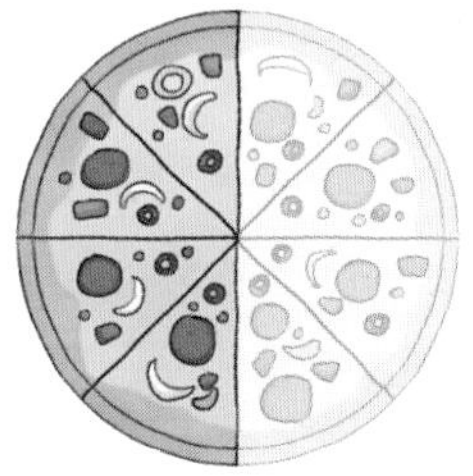

먹은 양은 전체의 $\frac{4}{8}$입니다.

→ 똑같이 8로 나누어진 것 중의 4는 $\frac{4}{8}$입니다.

먹은 양은 전체의 $\frac{2}{8}$입니다.

→ 똑같이 8로 나누어진 것 중의 2는 $\frac{2}{8}$입니다.

피자를 먹은 양과 남은 양을 각각 분수로 나타내어 보세요.

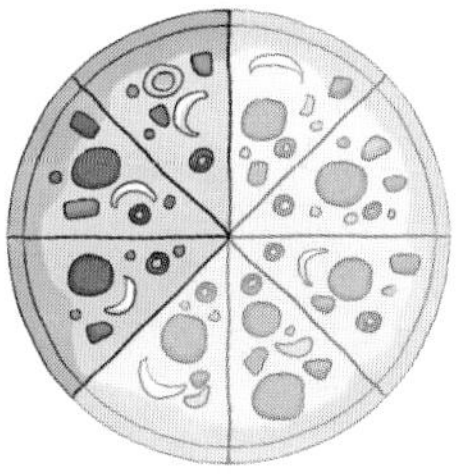

먹은 양: $\frac{\square}{\square}$

남은 양: $\frac{\square}{\square}$

음료수의 양을 소수로 나타내어 보세요.

(1)

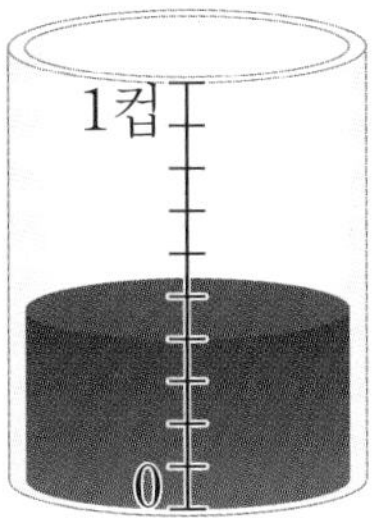

→ $\square$

(2)

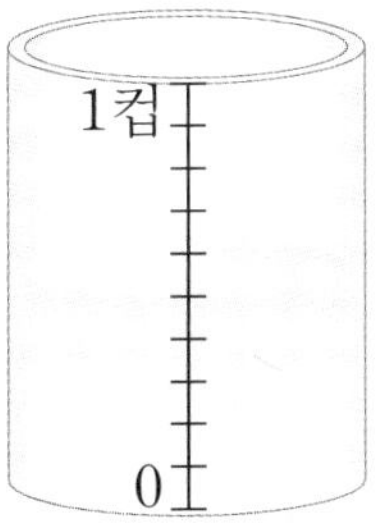

→ $\square$

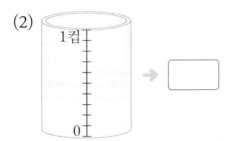

도형을 똑같이 나누어 보고 분수만큼 색칠해 보세요.

(1) 똑같이 6으로 나누기

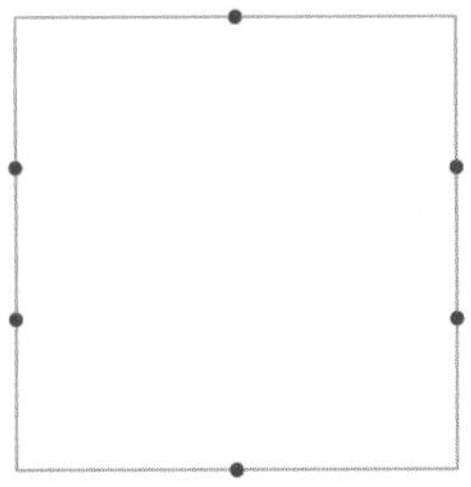

$\frac{5}{6}$

(2) 똑같이 5로 나누기

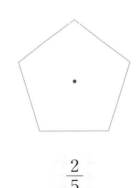

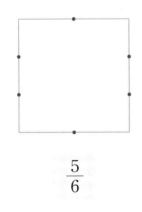

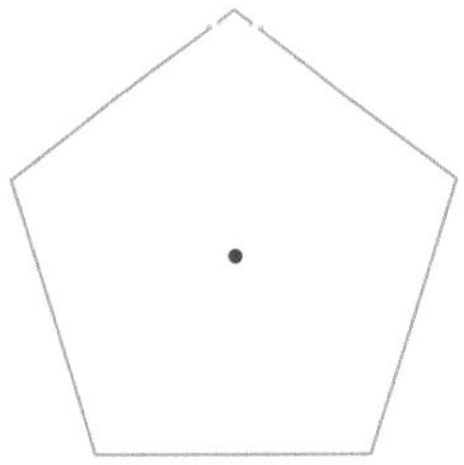

$\frac{2}{5}$

1 단계 교과서 개념 잡기

개념 1 똑같이 나누기

똑같이 둘로 나누기	똑같이 셋으로 나누기	똑같이 넷으로 나누기
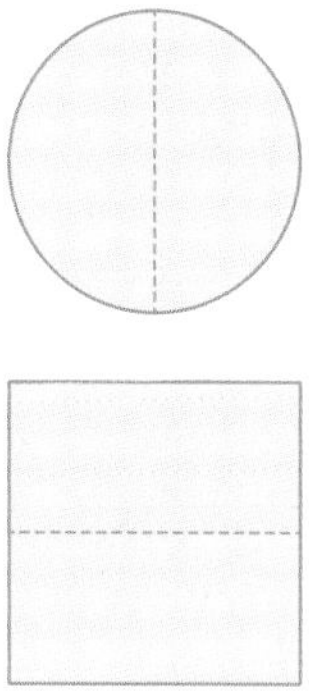	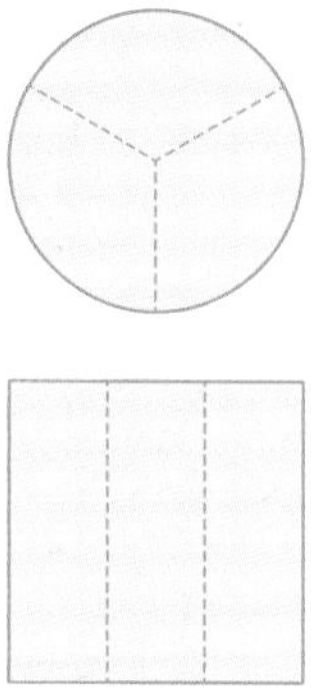	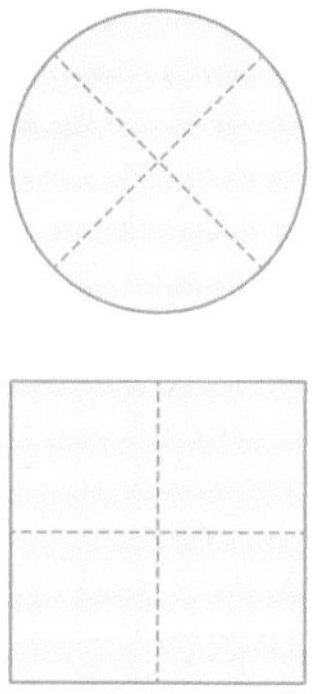

똑같이 나누어진 것은 크기와 모양이 모두 같습니다.
똑같이 나눈 도형을 서로 겹쳐 보았을 때 완전히 포개어집니다.

개념 2 분수 알아보기 (1)

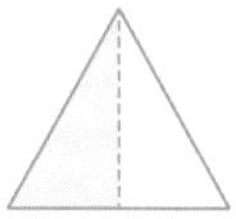 부분 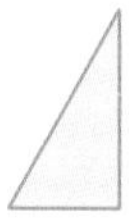 은 전체 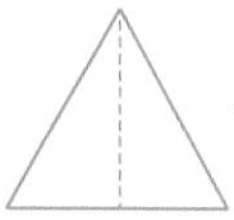 를 똑같이 2로 나눈 것 중의 1입니다.

전체를 똑같이 2로 나눈 것 중의 1 ➔ 쓰기 $\frac{1}{2}$ 읽기 2분의 1

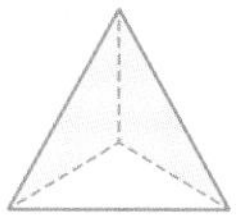 부분 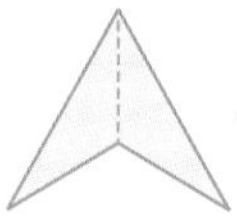 은 전체 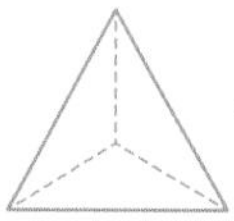 를 똑같이 3으로 나눈 것 중의 2입니다.

전체를 똑같이 3으로 나눈 것 중의 2 ➔ 쓰기 $\frac{2}{3}$ 읽기 3분의 2

분수: $\frac{1}{2}$, $\frac{2}{3}$와 같은 수

$\frac{1}{2}$ ← 분자, ← 분모	$\frac{2}{3}$ ← 분자, ← 분모

✿ 전체를 똑같이 ■로 나눈 것 중의 ▲

쓰기 $\frac{\blacktriangle}{\blacksquare}$ 읽기 ■분의 ▲ ➔ 분모: ■, 분자: ▲

개념 확인 문제

1 똑같이 나누어진 도형에 ○표, 똑같이 나누어지지 않은 도형에 ×표 하세요.

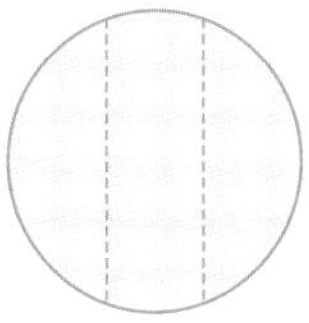 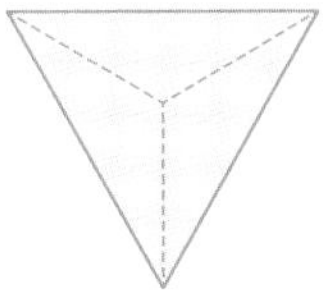 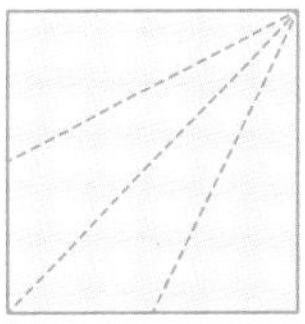 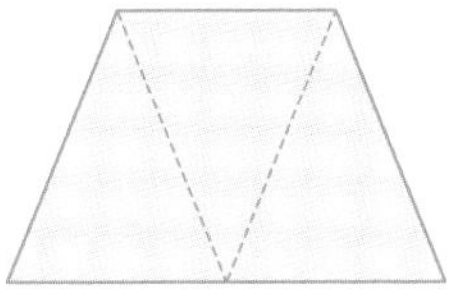

( ) ( ) ( ) ( )

2-1 □ 안에 알맞은 수를 써넣으세요.

전체를 똑같이 5로 나눈 것 중의 2를 $\frac{\square}{\square}$라 쓰고

□분의 □라고 읽습니다.

2-2 분수에 맞게 색칠한 것을 모두 찾아 ( ) 안에 ○표 하세요.

$\frac{4}{6}$	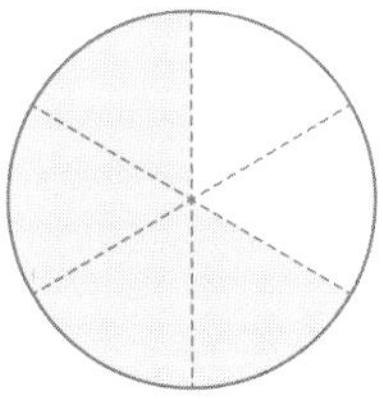 ( )	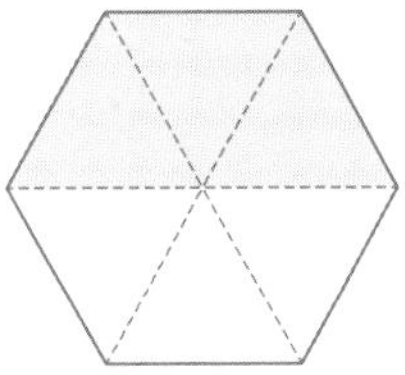 ( )	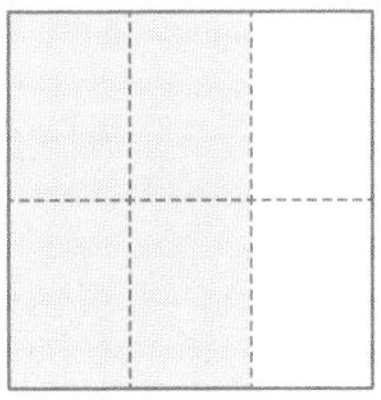 ( )

$\frac{3}{5}$	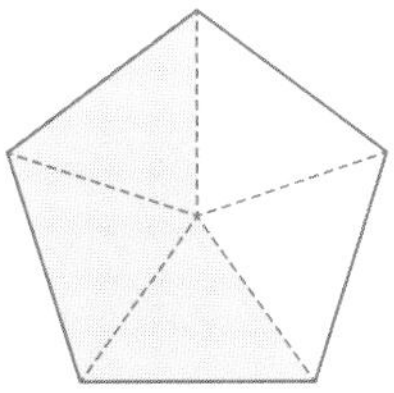 ( )	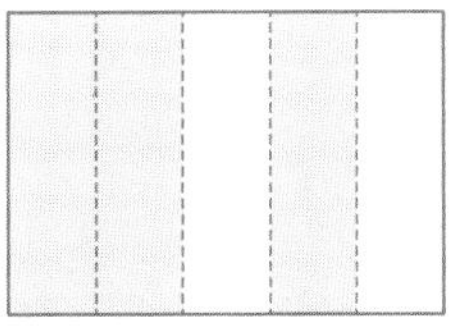 ( )	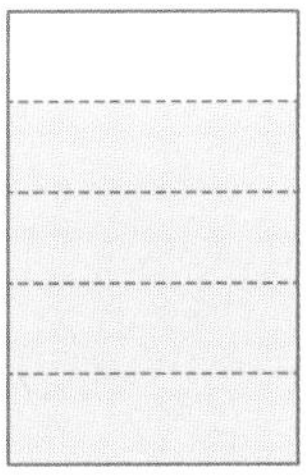 ( )

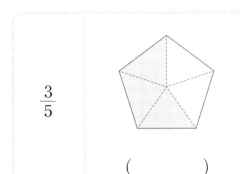

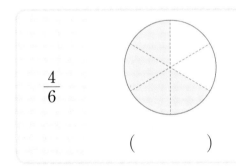

1단계 교과서 개념 잡기

개념 3 분수 알아보기 (2)

• 전체에 대한 부분을 분수로 나타내기

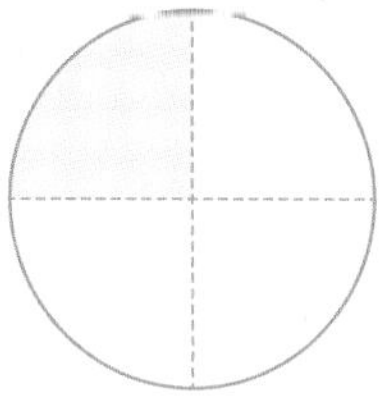

전체를 똑같이 4로 나눈 것 중 1만큼 색칠했으므로

색칠한 부분은 전체의 $\frac{1}{4}$입니다.

전체를 똑같이 4로 나눈 것 중 3만큼 색칠하지 않았으므로

색칠하지 않은 부분은 전체의 $\frac{3}{4}$입니다.

• 부분을 보고 전체 알아보기

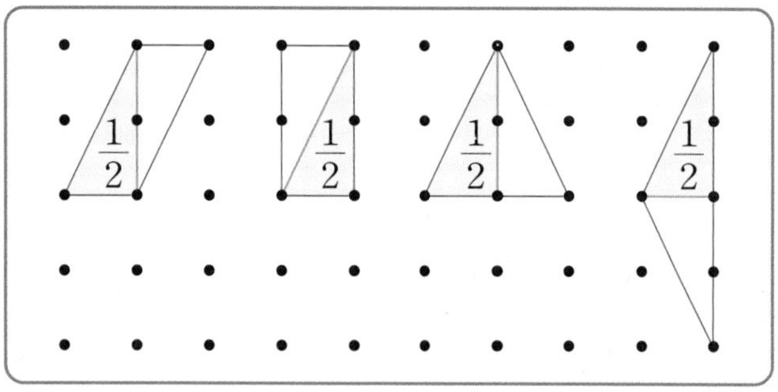

전체를 똑같이 2로 나눈 것 중의 1이 주어져 있으므로 나머지 1을 그립니다.

개념 4 분모가 같은 분수의 크기 비교하기

• $\frac{5}{6}$와 $\frac{2}{6}$의 크기 비교하기

①

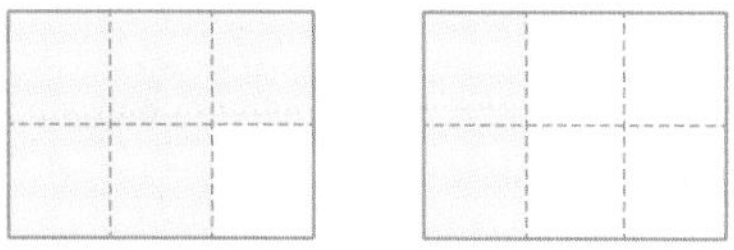

$\frac{5}{6}$ $\frac{2}{6}$

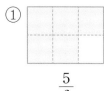

➔ 색칠한 부분을 비교해 보면 $\frac{5}{6}$가 $\frac{2}{6}$보다 더 큽니다.

② $\frac{5}{6}$는 $\frac{1}{6}$이 5개이고, $\frac{2}{6}$는 $\frac{1}{6}$이 2개입니다.

➔ 5 > 2이므로 $\frac{5}{6}$는 $\frac{2}{6}$보다 더 큽니다.

분모가 같은 분수는 분자가 클수록 더 큰 분수입니다.

3-1 색칠한 부분과 색칠하지 않은 부분을 각각 분수로 나타내어 보세요.

(1)

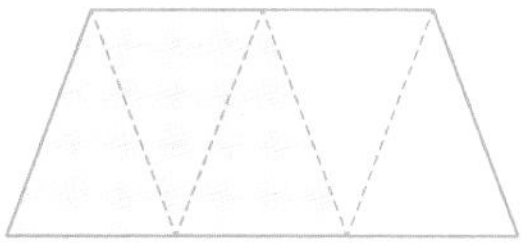

색칠한 부분 □

색칠하지 않은 부분 □

(2)

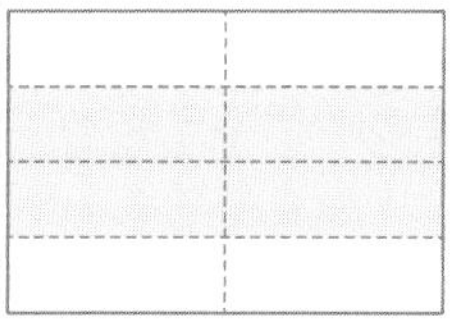

색칠한 부분 □

색칠하지 않은 부분 □

3-2 부분을 보고 전체를 그려 보세요.

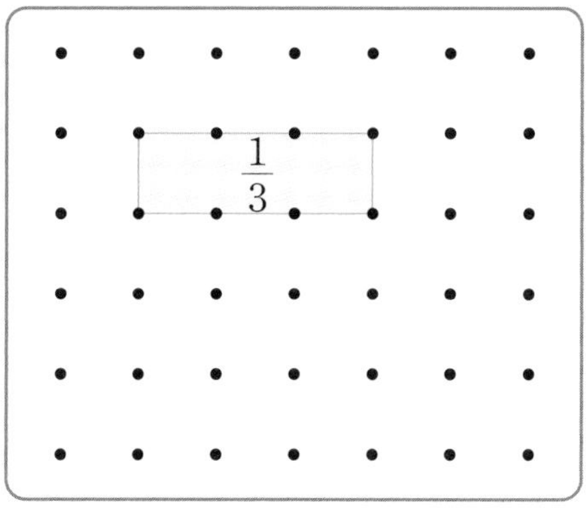

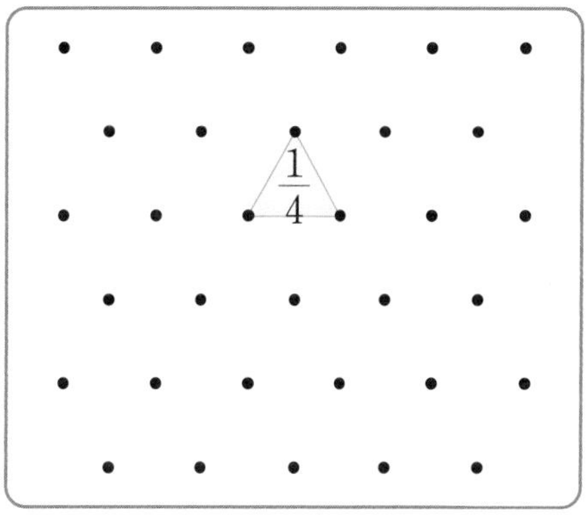

4-1 두 분수의 크기를 비교하여 ○ 안에 >, =, <를 알맞게 써넣으세요.

(1) $\frac{2}{7}$ ○ $\frac{5}{7}$ (2) $\frac{5}{6}$ ○ $\frac{1}{6}$ (3) $\frac{2}{4}$ ○ $\frac{3}{4}$

4-2 가장 큰 분수에 ○표 하세요.

$\frac{7}{10}$ $\frac{3}{10}$ $\frac{4}{10}$

개념 5 단위분수의 크기 비교하기

단위분수: 분수 중에서 $\frac{1}{2}$, $\frac{1}{3}$, $\frac{1}{4}$, $\frac{1}{5}$ ……과 같이 분자가 1인 분수

• 그림으로 단위분수의 크기 비교하기

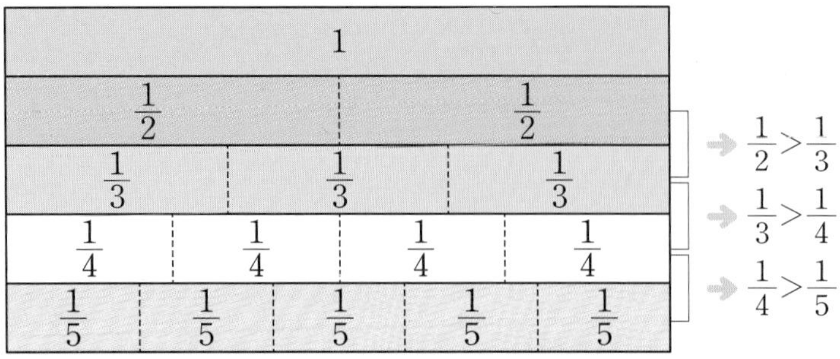

• 수직선으로 단위분수의 크기 비교하기

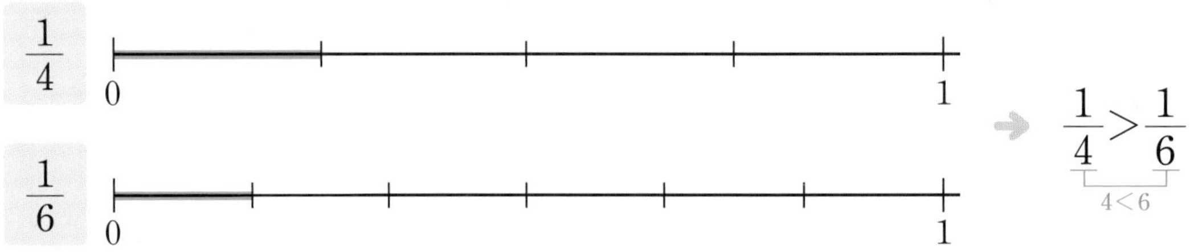

> ⭐단위분수는 분모가 작을수록 더 큰 분수입니다.

개념 6 소수 알아보기 (1)

소수: 0.1, 0.2, 0.3과 같은 수

소수점: 소수 0.1, 0.2, 0.3에서 ' . '

분수		$\frac{1}{10}$	$\frac{2}{10}$	$\frac{3}{10}$	$\frac{4}{10}$	$\frac{5}{10}$	……
소수	쓰기	0.1	0.2	0.3	0.4	0.5	……
	읽기	영 점 일	영 점 이	영 점 삼	영 점 사	영 점 오	……

```
     1   2   3   4   5   6   7   8   9
0   10  10  10  10  10  10  10  10  10   1
├───┼───┼───┼───┼───┼───┼───┼───┼───┼───┤
0  0.1 0.2 0.3 0.4 0.5 0.6 0.7 0.8 0.9  1
```

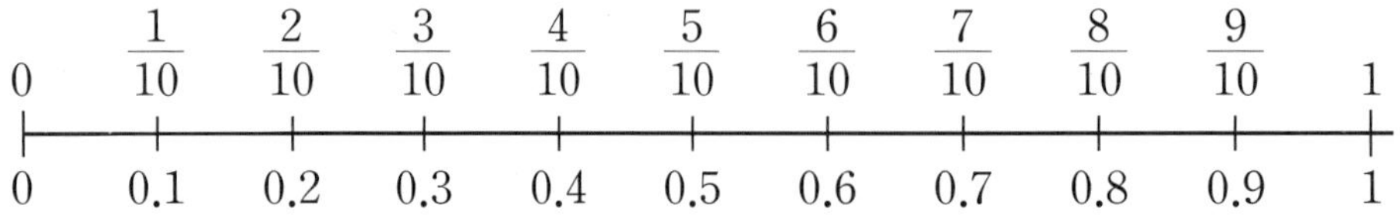

1 cm를 똑같이 10으로 나눈 것 중 1은 $\frac{1}{10}$ cm이고, $\frac{1}{10}$ cm＝0.1 cm입니다.

3주 교과서

5-1 단위분수만큼 색칠해 보고 알맞은 말에 ○표 하세요.

$\frac{1}{2}$

$\frac{1}{3}$

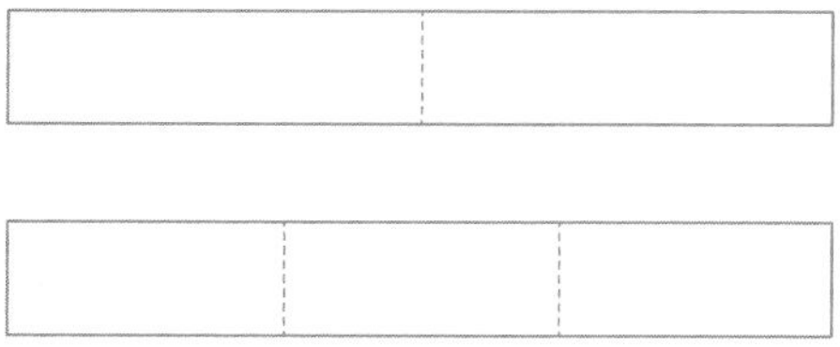

→ $\frac{1}{2}$이 $\frac{1}{3}$보다 더 (큽니다 , 작습니다).

5-2 두 분수의 크기를 비교하여 ○ 안에 >, =, <를 알맞게 써넣으세요.

(1) $\frac{1}{5}$ ○ $\frac{1}{4}$　　(2) $\frac{1}{7}$ ○ $\frac{1}{10}$　　(3) $\frac{1}{9}$ ○ $\frac{1}{6}$

6-1 같은 것끼리 선으로 이어 보세요.

$\frac{3}{10}$ •	• 0.7 •	• 영 점 삼
$\frac{7}{10}$ •	• 0.3 •	• 영 점 칠

6-2 □ 안에 알맞은 수를 써넣으세요.

(1) 0.5는 0.1이 □개입니다.　　(2) 0.8은 0.1이 □개입니다.

(3) 0.1이 4개이면 □입니다.　　(4) 0.1이 9개이면 □입니다.

1단계 교과서 개념 잡기

개념 7 소수 알아보기 (2)

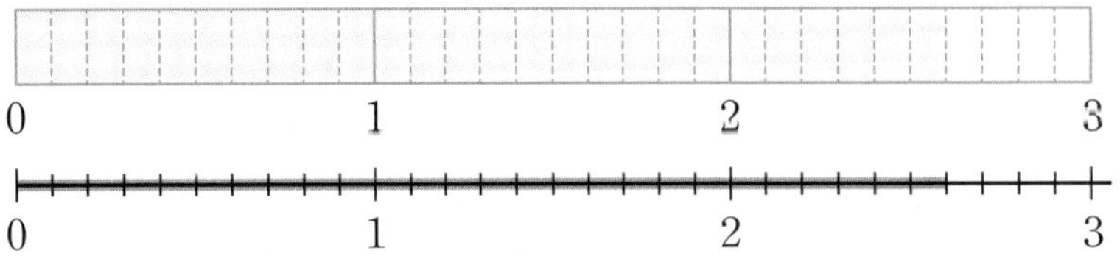

① 색칠한 부분은 0.1이 26개입니다.

② 0.1이 20개이면 2이고, 0.1이 6개이면 0.6이므로 2와 0.6만큼은 2.6입니다.

➔ 2와 0.6만큼을 2.6이라 쓰고 이 점 육이라고 읽습니다.

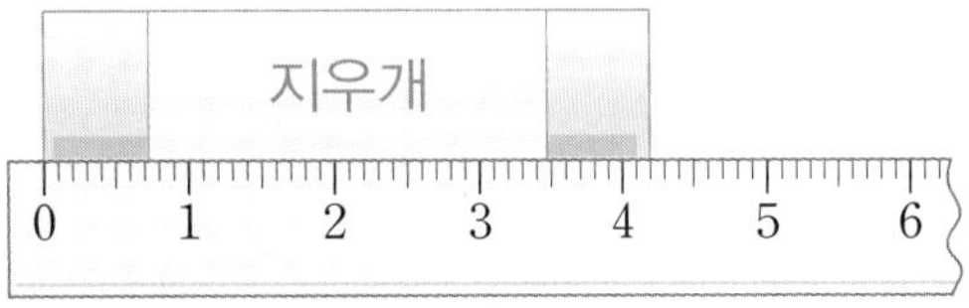

지우개는 4 cm보다 2 mm (0.2 cm) 더 깁니다. ➔ 4.2 cm

개념 8 소수의 크기 비교하기

- 자연수 부분이 0인 소수의 크기 비교하기

  예 0.9와 0.4의 크기 비교하기

  ① 수 막대를 이용하여 비교하기

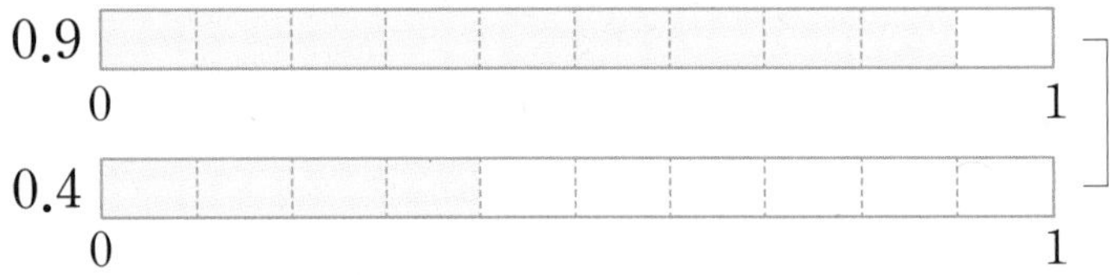

➔ 0.9 > 0.4

  ② 0.1이 몇 개인지 알고 비교하기

  0.9는 0.1이 9개입니다.
  0.4는 0.1이 4개입니다.
  ➔ 9 > 4이므로 0.9는 0.4보다 더 큽니다.

- 자연수 부분이 0인 아닌 소수의 크기 비교하기

  ① 자연수 부분의 크기를 먼저 비교합니다.

  2.3 > 1.9 (2 > 1) 자연수 부분의 크기가 큰 쪽이 더 큽니다.

  ② 자연수 부분이 같으면 소수 부분의 크기를 비교합니다.

  1.6 < 1.8 (6 < 8) 소수 부분의 크기가 큰 쪽이 더 큽니다.

7-1 □ 안에 알맞은 소수를 써넣으세요.

(1) 8 mm = □ cm　　(2) 3 cm 9 mm = □ cm

7-2 잘못 나타낸 것을 찾아 기호를 써 보세요.

㉠ 7 mm = 0.7 cm　　㉡ 1.9 cm = 19 mm
㉢ 4 cm 1 mm = 41 cm　　㉣ 2.5 cm = 2 cm 5 mm

(　　　　　　)

8-1 소수의 크기를 비교하려고 합니다. □ 안에 알맞은 수를 써넣고, ○ 안에 >, =, <를 알맞게 써넣으세요.

(1) 0.6은 0.1이 □개이고, 0.9는 0.1이 □개입니다.

→ 0.6 ○ 0.9

(2) 2.4는 0.1이 □개이고, 1.6은 0.1이 □개입니다.

→ 2.4 ○ 1.6

8-2 두 소수의 크기를 비교하여 ○ 안에 >, =, <를 알맞게 써넣으세요.

(1) 1.2 ○ 2.1　　(2) 3.5 ○ 3.8

PLAY 교과서 개념 스토리

쿠키 만들기

준비물 붙임딱지

색칠한 부분을 나타낸 분수가 쓰인 붙임딱지를 붙여 쿠키를 완성해 보세요.

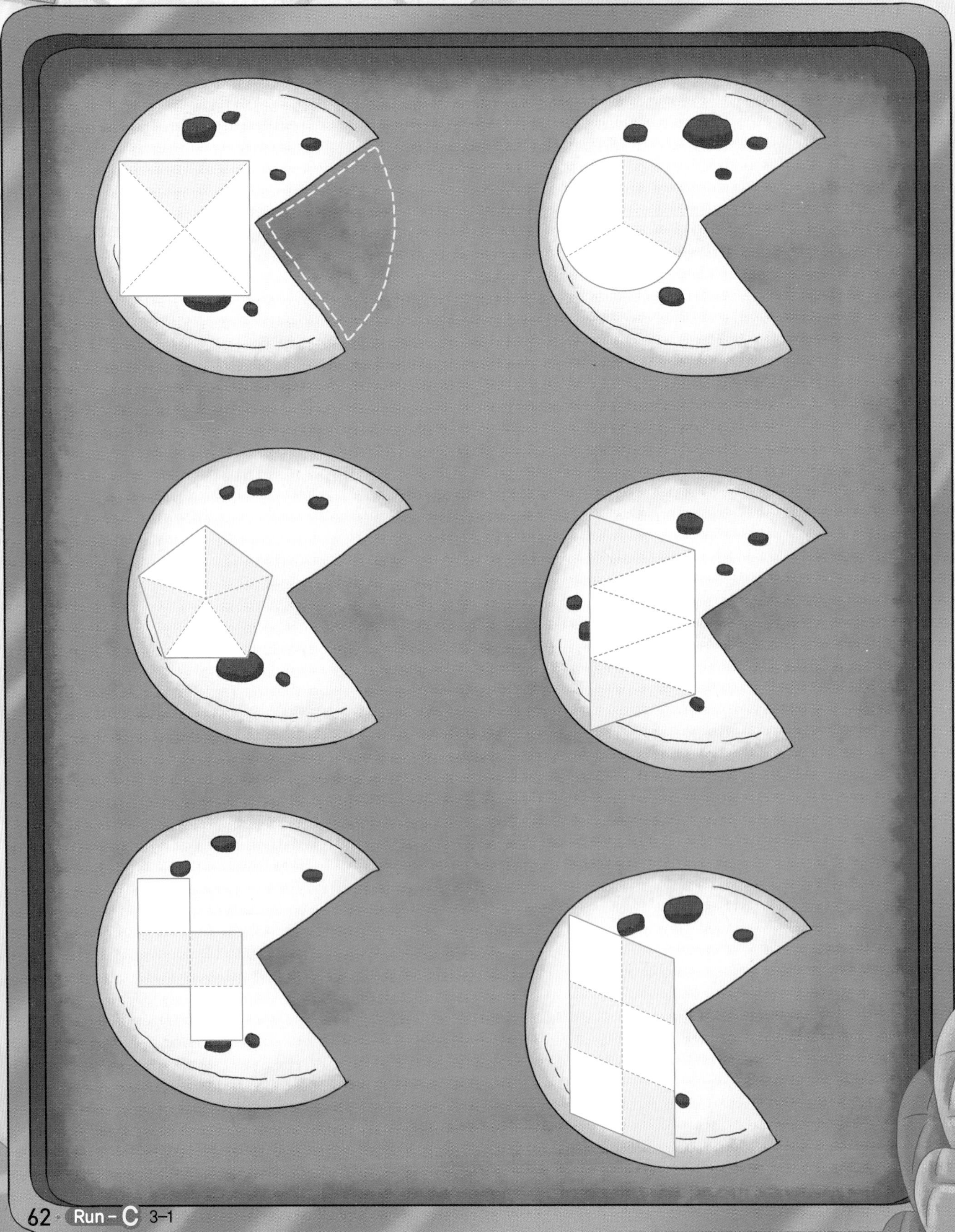

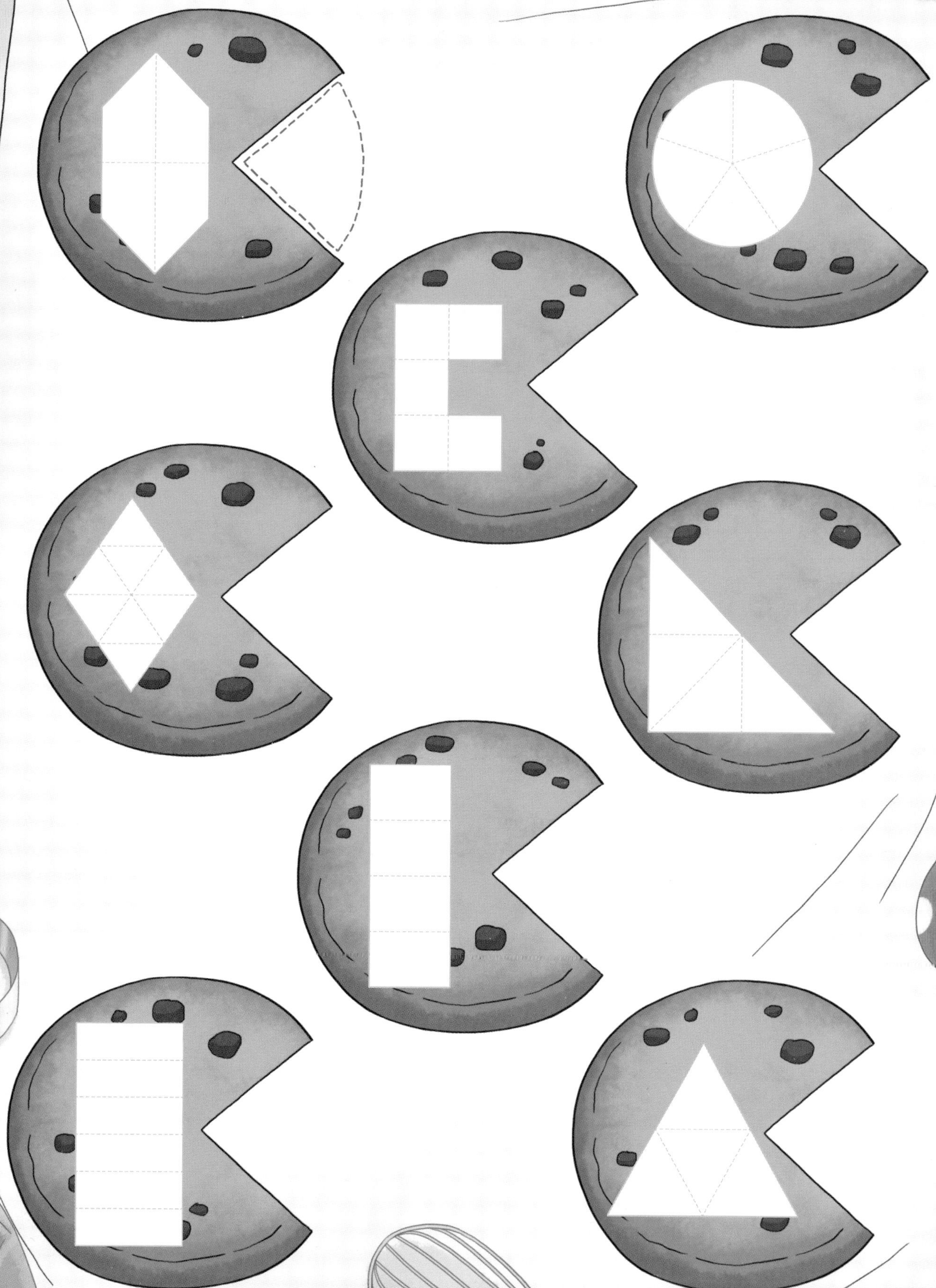

PLAY 교과서 개념 스토리

1+1 행사

준비물 붙임딱지

과자와 음료수를 묶어 할인을 하는 1+1 행사를 하고 있습니다. 관계있는 것끼리 짝을 완성해 보세요.

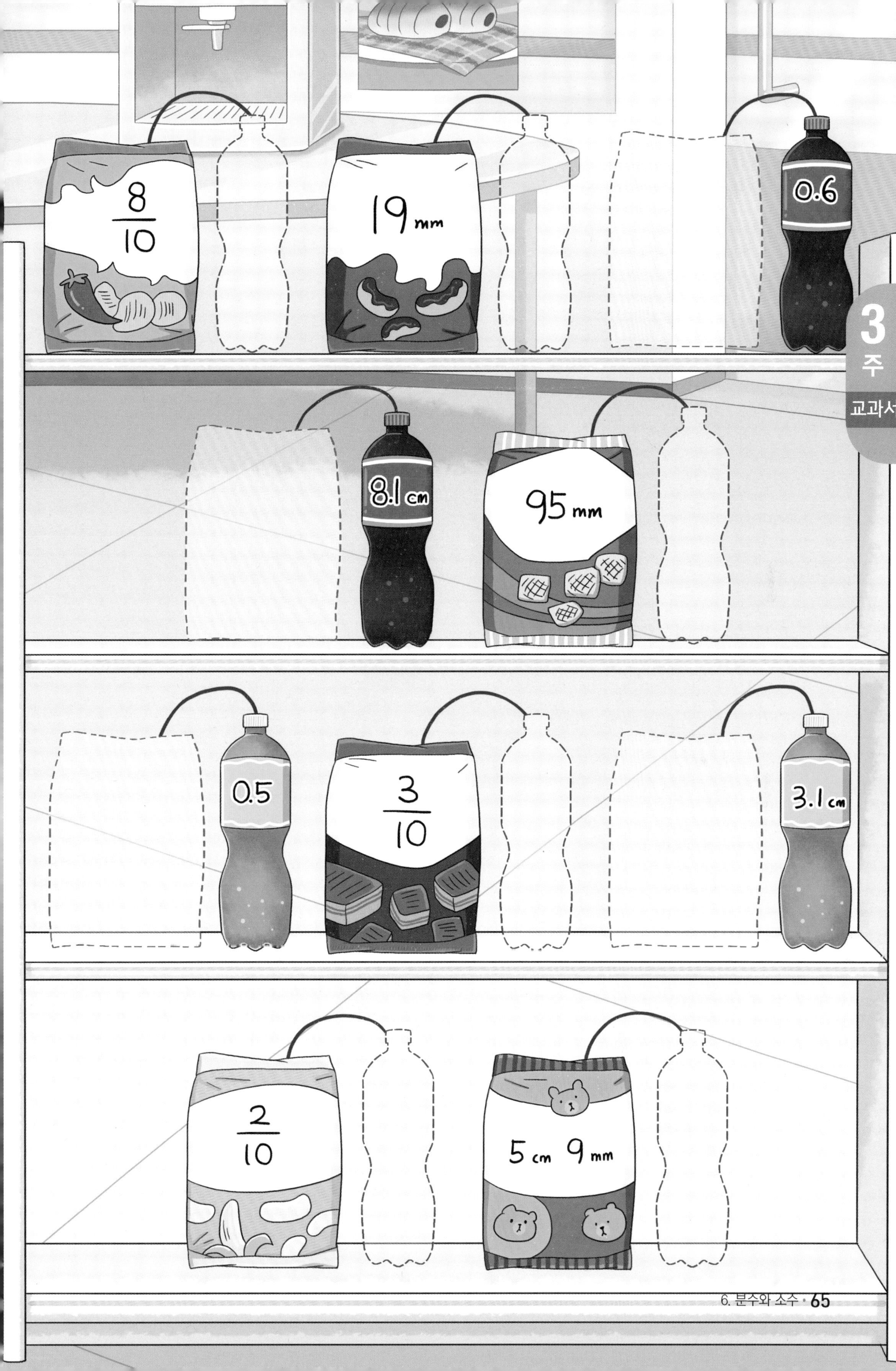
8/10
19 mm
0.6
8.1 cm
95 mm
0.5
3/10
3.1 cm
2/10
5 cm 9 mm

2 단계

교과서 개념 다지기

개념 1 똑같이 나누기

01 똑같이 나누어지지 않은 도형을 모두 찾아 기호를 써 보세요.

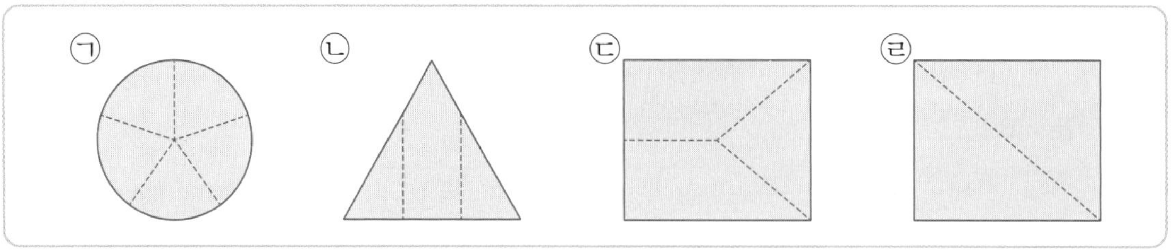

(　　　　　　　　　　)

02 똑같이 여섯으로 나누어 보세요.

(1) 

(2) 

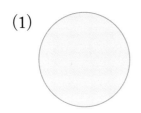

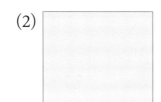

03 크기가 같은 조각이 몇 개 있는지 써 보세요.

(1) 

□조각

(2) 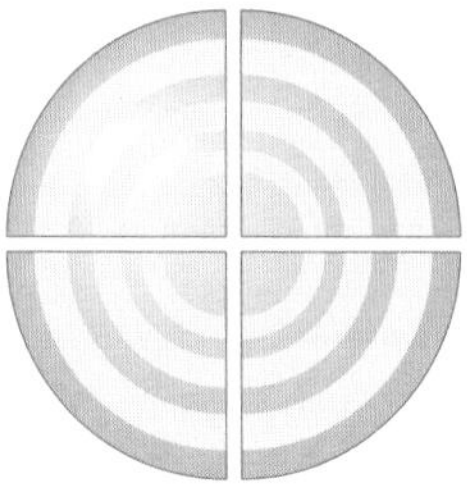

□조각

개념 2 분수 알아보기

04 □ 안에 알맞게 써넣으세요.

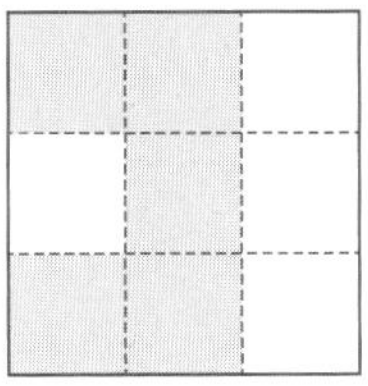

색칠한 부분은 전체를 똑같이 □(으)로 나눈 것 중의 □이므로 $\frac{□}{□}$(이)라 쓰고 □(이)라고 읽습니다.

05 색칠한 부분을 분수로 쓰고 읽어 보세요.

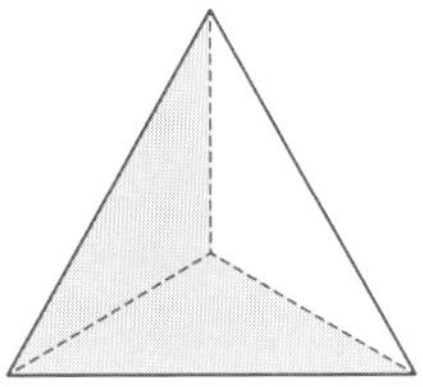

쓰기 (　　　　　　　　)

읽기 (　　　　　　　　)

06 분수에 맞게 색칠한 것을 찾아 선으로 이어 보세요.

$\frac{4}{5}$ •　　　$\frac{2}{5}$ •　　　$\frac{5}{6}$ •

•　　　•　　　•

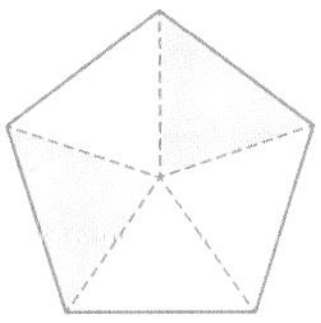
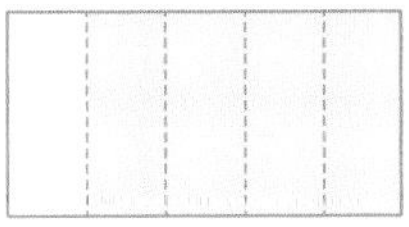
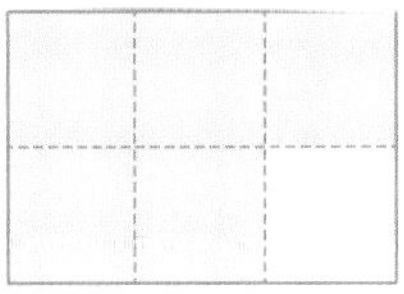

07 전체에 알맞은 도형을 모두 찾아 기호를 써 보세요.

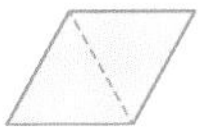

전체를 똑같이 4로 나눈 것 중의 2입니다.

가 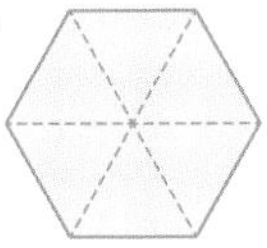
나 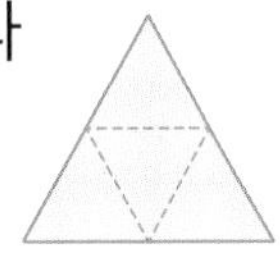
다 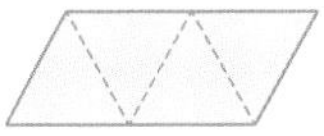
라 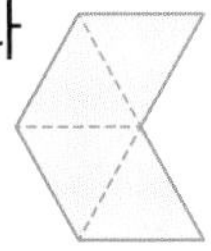

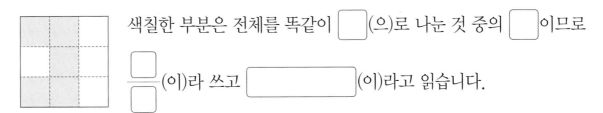

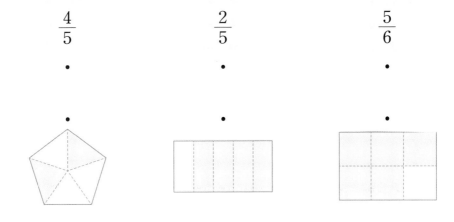

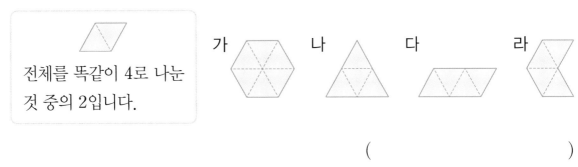

(　　　　　　　　)

3주 교과서

개념 3 분모가 같은 분수의 크기 비교

08 주어진 분수를 수직선에 ▬ 로 나타내고 크기를 비교하여 ○ 안에 >, =, <를 알맞게 써넣으세요.

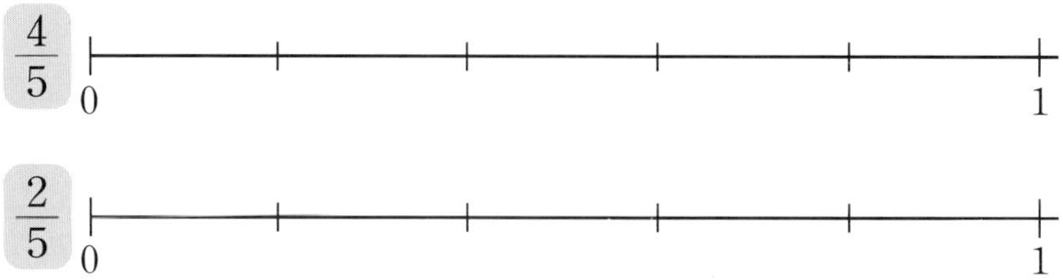

$\frac{4}{5}$ ○ $\frac{2}{5}$

09 가장 큰 분수에 ○표, 가장 작은 분수에 △표 하세요.

$\frac{2}{7}$ $\frac{6}{7}$ $\frac{3}{7}$ $\frac{5}{7}$ $\frac{1}{7}$ $\frac{4}{7}$

10 색 테이프를 규현이는 $\frac{7}{8}$ m, 지훈이는 $\frac{5}{8}$ m 가지고 있습니다. 규현이와 지훈이 중에서 가지고 있는 색 테이프가 더 짧은 사람은 누구일까요?

( )

개념 4 단위분수의 크기 비교

11 $\frac{1}{3}$과 $\frac{1}{4}$만큼 각각 색칠하고 크기를 비교하여 ○ 안에 >, =, <를 알맞게 써넣으세요.

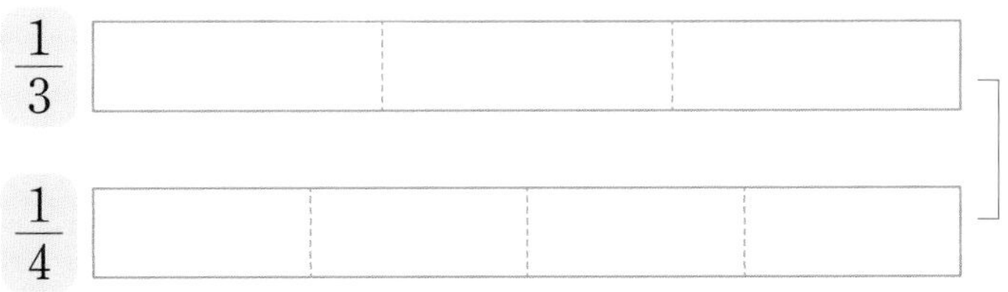

$\frac{1}{3}$ ○ $\frac{1}{4}$

12 두 분수의 크기를 비교하여 ○ 안에 >, =, <를 알맞게 써넣으세요.

(1) $\frac{1}{9}$ ○ $\frac{1}{7}$　　(2) $\frac{1}{10}$ ○ $\frac{1}{12}$　　(3) $\frac{1}{2}$ ○ $\frac{1}{6}$

13 크기가 작은 분수부터 차례로 써 보세요.

$\frac{1}{5}$　$\frac{1}{11}$　$\frac{1}{8}$　$\frac{1}{4}$

(　　　　　　　　)

14 2부터 9까지의 수 중에서 □ 안에 들어갈 수 있는 수를 모두 구해 보세요.

$\frac{1}{4} < \frac{1}{\square}$

(　　　　　　　　)

개념 5 소수 알아보기

15 같은 것끼리 선으로 이어 보세요.

$\frac{6}{10}$	0.9	영 점 구
$\frac{9}{10}$	0.6	영 점 오
$\frac{5}{10}$	0.5	영 점 육

16 소수만큼 색칠해 보세요.

(1) 2.5

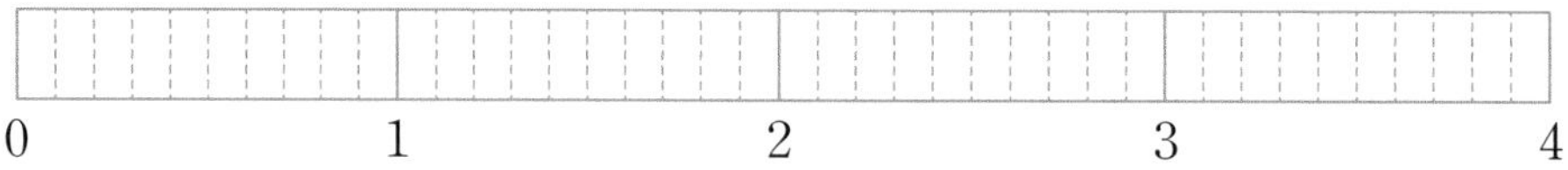

(2) 3.7

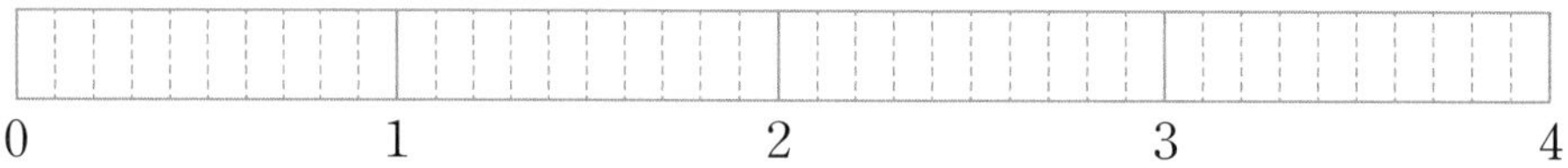

17 □ 안에 알맞은 수를 써넣으세요.

(1) 7 cm 2 mm = □ cm

(2) 4 cm 1 mm = □ cm

(3) 38 mm = □ cm

(4) 29 mm = □ cm

18 그림을 보고 소수로 나타내어 보세요.

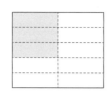

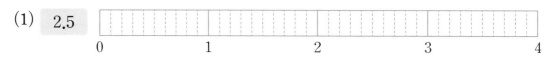

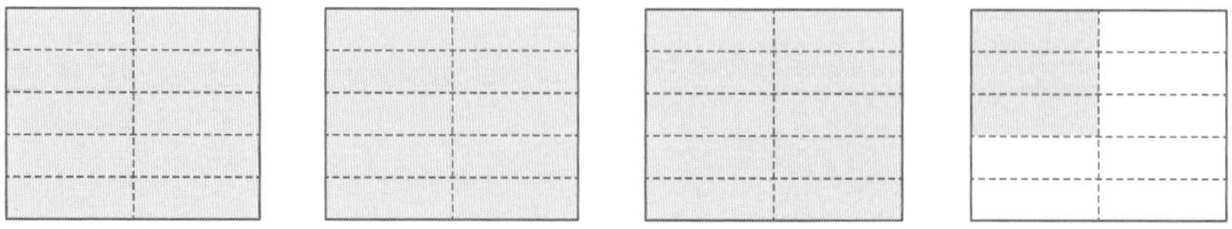

( )

개념 6 소수의 크기 비교

19 소수를 수직선에 ── 으로 나타내고 크기를 비교하여 ○ 안에 >, =, <를 알맞게 써넣으세요.

4.5
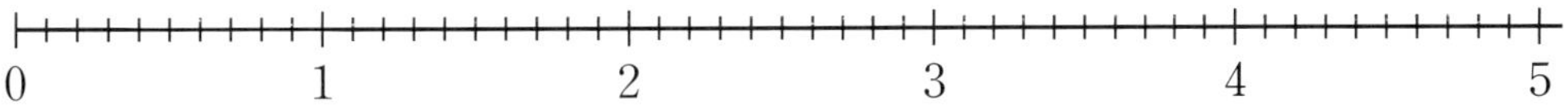

4.1
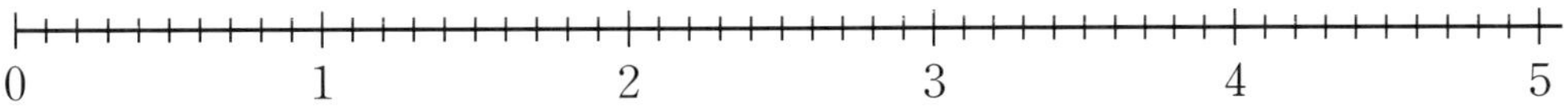

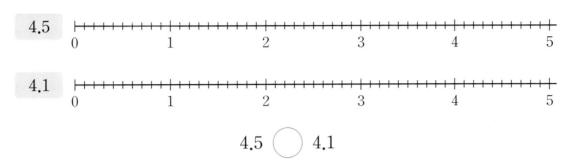

4.5 ○ 4.1

20 두 소수의 크기를 비교하여 ○ 안에 >, =, <를 알맞게 써넣으세요.

(1) 1.8 ○ 2.2　　(2) 5.3 ○ 5.7　　(3) 3.1 ○ 4.6

21 두 수의 크기를 비교하여 더 큰 수의 기호를 써 보세요.

㉠ 0.8
㉡ 0.1이 7개인 수

(　　　　　)

22 작은 수부터 차례로 기호를 써 보세요.

㉠ 0.1이 32개인 수　　㉡ 3.6　　㉢ $\frac{1}{10}$이 35개인 수

(　　　　　)

★ 먹은 양 알아보기

1 윤주가 와플을 똑같이 4조각으로 나누어 전체의 $\frac{1}{2}$을 먹었습니다. 윤주가 먹은 와플은 몇 조각일까요?

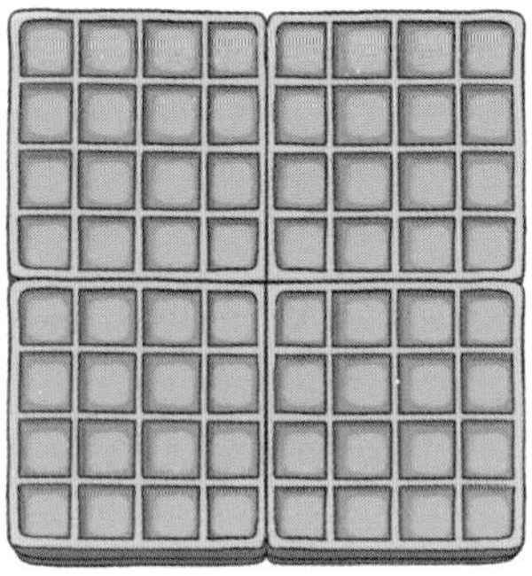

답 ______________

개념 피드백 전체를 똑같이 ■로 나눈 것 중의 ▲만큼을 $\frac{▲}{■}$라고 합니다.

1-1 윤아는 피자를 똑같이 8조각으로 나누어 전체의 $\frac{1}{4}$을 먹었습니다. 윤아가 먹은 피자는 몇 조각일까요?

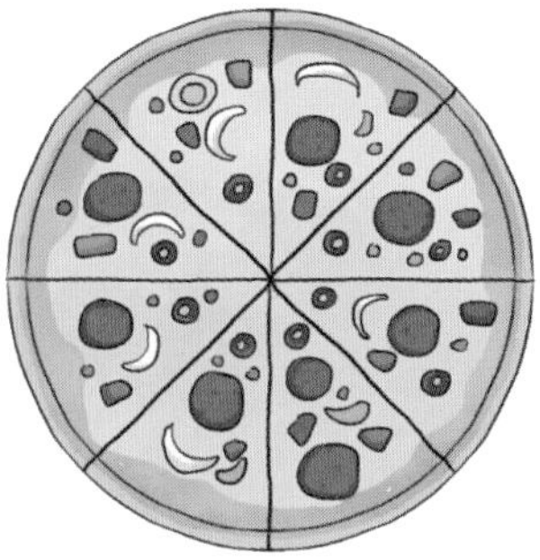

( )

1-2 케이크를 똑같이 10조각으로 나누어 혜미는 전체의 $\frac{1}{2}$만큼 먹었고, 용빈이는 전체의 $\frac{1}{5}$만큼 먹었습니다. 누가 케이크를 몇 조각 더 많이 먹었는지 차례로 써 보세요.

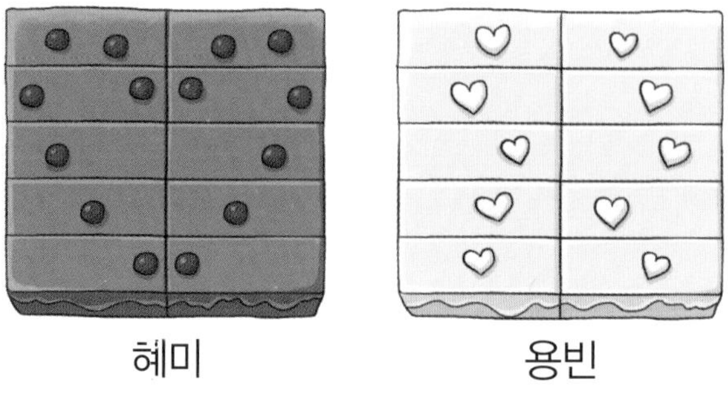

( ), ( )

조건에 알맞은 분수 구하기

2 분모가 8인 분수 중에서 $\frac{3}{8}$보다 크고 $\frac{7}{8}$보다 작은 분수를 모두 찾아 ○표 하세요.

$\frac{2}{8}$ $\frac{5}{8}$ $\frac{7}{8}$ $\frac{6}{8}$ $\frac{3}{8}$

개념 피드백
• 분모가 같은 분수의 크기 비교하기
분모가 같은 분수는 분자가 클수록 더 큰 분수입니다.

2-1 분모가 9인 분수 중에서 $\frac{4}{9}$보다 크고 $\frac{8}{9}$보다 작은 분수를 모두 써 보세요.

( )

2-2 분모가 11인 분수 중에서 $\frac{5}{11}$보다 크고 $\frac{10}{11}$보다 작은 분수는 모두 몇 개인지 구해 보세요.

( )

☐ 안에 들어갈 수 있는 수 구하기

3 1부터 9까지의 수 중에서 ☐ 안에 들어갈 수 있는 수를 모두 써 보세요.

$$0.\square < 0.5$$

답 ____________________

개념 피드백
- 소수의 크기 비교하기

① 자연수 부분의 크기를 먼저 비교합니다. 자연수 부분이 클수록 더 큰 수입니다.
② 자연수 부분이 같으면 소수 부분의 크기를 비교합니다. 소수 부분이 클수록 더 큰 수입니다.

3-1 1부터 9까지의 수 중에서 ☐ 안에 들어갈 수 있는 수를 모두 써 보세요.

$$3.7 < 3.\square$$

(   )

3-2 1부터 9까지의 수 중에서 ☐ 안에 들어갈 수 있는 수는 모두 몇 개인지 구해 보세요.

$$1.2 < 1.\square < 1.6$$

(   )

★ 수 카드로 소수 만들기

4 3장의 수 카드 중에서 2장을 뽑아 한 번씩만 사용하여 소수 ■.▲를 만들려고 합니다. 만들 수 있는 소수 중에서 가장 큰 수와 가장 작은 수를 각각 구해 보세요.

2 5 3

가장 큰 수 (　　　　　　　　)

가장 작은 수 (　　　　　　　　)

개념 피드백

- 가장 큰 소수 ■.▲ 만들기
  ㉠>㉡>㉢일 때 가장 큰 소수는 ㉠.㉡입니다.
- 가장 작은 소수 ■.▲ 만들기
  ㉠>㉡>㉢일 때 가장 작은 소수는 ㉢.㉡입니다.

4-1 3장의 수 카드 중에서 2장을 뽑아 한 번씩만 사용하여 소수 ■.▲를 만들려고 합니다. 만들 수 있는 소수 중에서 가장 큰 수와 가장 작은 수를 각각 구해 보세요.

3 7 6

가장 큰 수 (　　　　　　　　)

가장 작은 수 (　　　　　　　　)

4-2 4장의 수 카드 중에서 2장을 뽑아 한 번씩만 사용하여 소수 ■.▲를 만들려고 합니다. 만들 수 있는 소수 중에서 가장 큰 수와 가장 작은 수를 각각 구해 보세요.

8 1 5 3

가장 큰 수 (　　　　　　　　)

가장 작은 수 (　　　　　　　　)

★ 조건을 만족하는 분수 구하기

5 다음 조건을 모두 만족하는 분수를 모두 구해 보세요.

- 단위분수입니다.
- $\frac{1}{7}$보다 큰 분수입니다.
- $\frac{1}{4}$보다 작은 분수입니다.

답 ____________________

개념 피드백
- 단위분수의 크기 비교하기
  단위분수는 분모가 클수록 더 작은 분수입니다.

5-1 다음 조건을 모두 만족하는 분수는 몇 개인지 구해 보세요.

- 단위분수입니다.
- $\frac{1}{5}$보다 작은 분수입니다.
- $\frac{1}{10}$보다 큰 분수입니다.

(　　　　　　　　　)

5-2 ■가 될 수 있는 분수는 모두 몇 개인지 구해 보세요.

- ■는 단위분수입니다.
- $\frac{1}{9}<■<\frac{1}{2}$

(　　　　　　　　　)

★ 단위가 다른 길이 비교하기

6 몸의 길이가 개똥벌레는 3.7 cm이고, 메뚜기는 45 mm입니다. 길이가 더 긴 곤충의 이름을 써 보세요.

답 ______________

개념 피드백 1 cm는 10 mm이므로 1 mm는 0.1 cm입니다.
■ mm는 0.1 cm가 ■개인 것과 같으므로 0.■ cm입니다.

6-1 가지고 있는 리본의 길이가 영진이는 7.6 cm이고, 동우는 69 mm입니다. 길이가 더 짧은 리본을 가지고 있는 사람은 누구인지 써 보세요.

( )

6-2 길이가 짧은 것부터 차례로 기호를 써 보세요.

㉠ 62 mm ㉡ 7 cm 1 mm
㉢ 6.9 cm ㉣ 80 mm

( )

Test 교과서 서술형 연습

서술형 연습 **1** 지영이가 먹고 남은 케이크입니다. 전체에 대한 남은 부분을 분수로 나타내어 보세요.

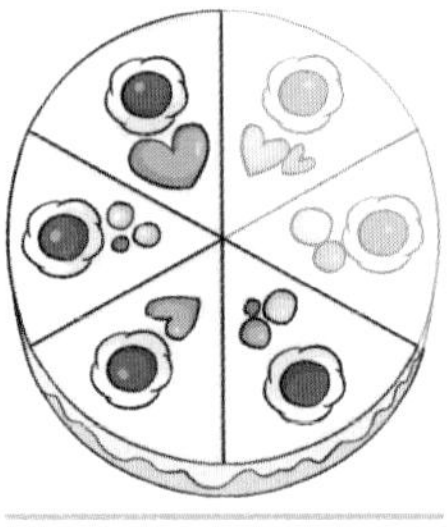

구하려는 것, 주어진 것에 선을 그어 봅니다.

해결하기 남은 부분은 전체를 똑같이 ☐(으)로 나눈 것 중의 ☐입니다.

따라서 남은 부분은 전체의 $\frac{☐}{☐}$입니다.

답 구하기 ☐

서술형 실전 **2** 가은이가 먹고 남은 피자입니다. 전체에 대한 남은 부분을 분수로 나타내어 보세요.

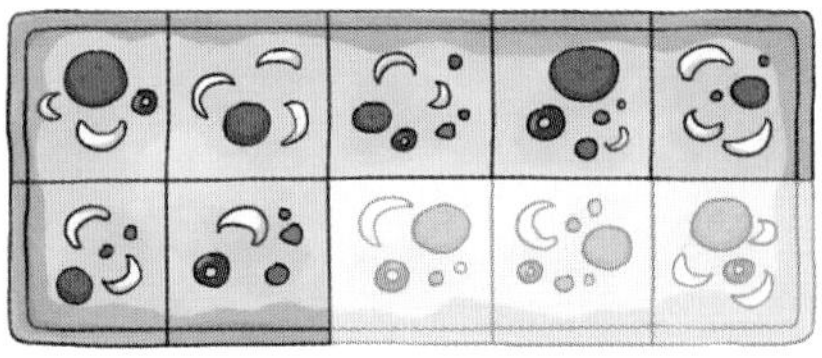

구하려는 것, 주어진 것에 선을 그어 봅니다.

해결하기

답 구하기

3주 교과서

서술형 연습

3 색 테이프를 준호는 4.3 m, 동진이는 3.8 m 가지고 있습니다. 가지고 있는 색 테이프의 길이가 더 긴 사람은 누구인지 구해 보세요.

구하려는 것, 주어진 것에 선을 그어 봅니다.

해결하기 두 소수의 크기를 비교할 때에는 (자연수 , 소수) 부분을 먼저 비교합니다.

자연수 부분이 4 ◯ 3이므로 4.3 ◯ 3.8입니다.

따라서 (준호 , 동진)(이)가 가진 색 테이프의 길이가 더 깁니다.

답 구하기

서술형 실전

4 우유를 효민이는 1.3컵, 승주는 1.1컵 마셨습니다. 마신 우유의 양이 더 많은 사람은 누구인지 구해 보세요.

구하려는 것, 주어진 것에 선을 그어 봅니다.

해결하기

답 구하기

준비물 붙임딱지

밭에 여러 가지 채소를 심은 부분을 분수로 나타낸 것입니다.
채소 붙임딱지를 알맞게 붙여 보세요.

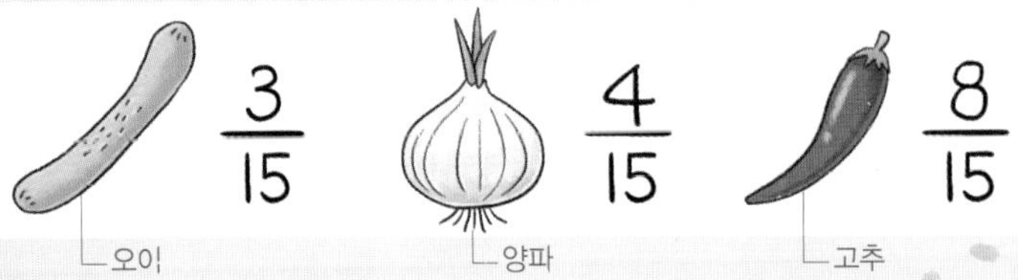

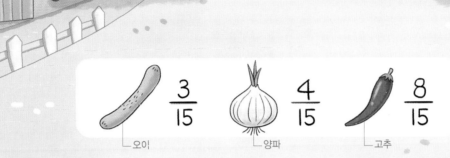

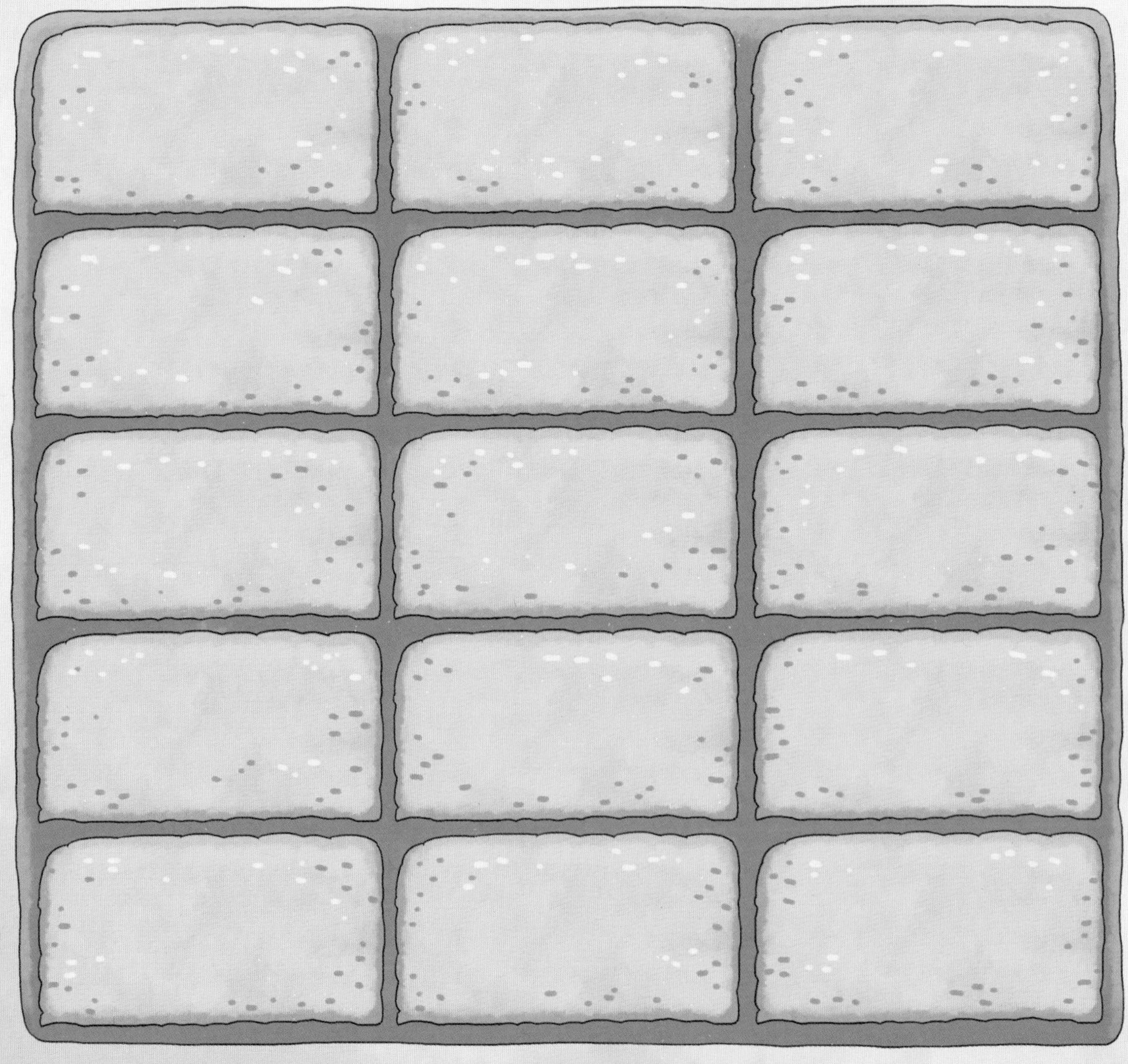

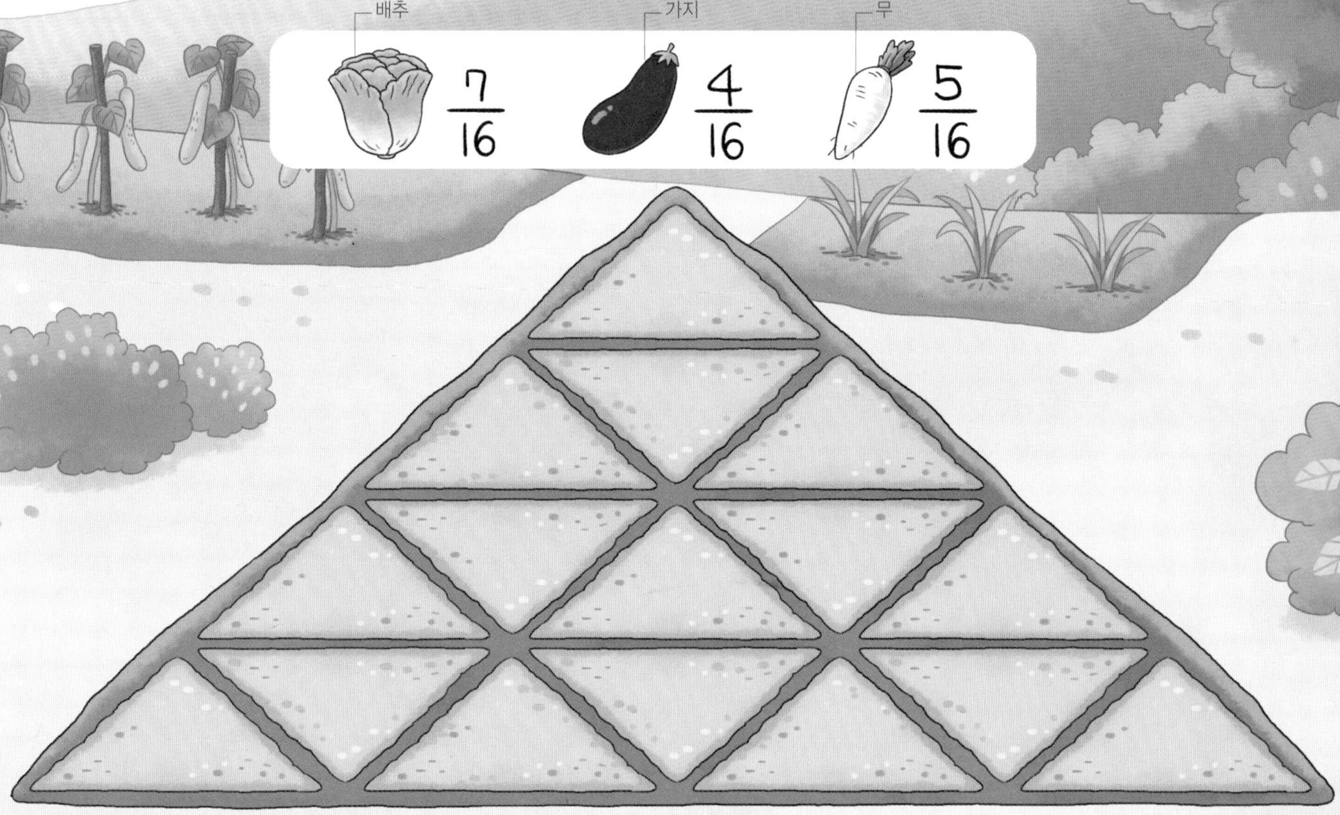

여러 가지 채소를 다양하게 심어 보고, 분수로 나타내어 보세요.

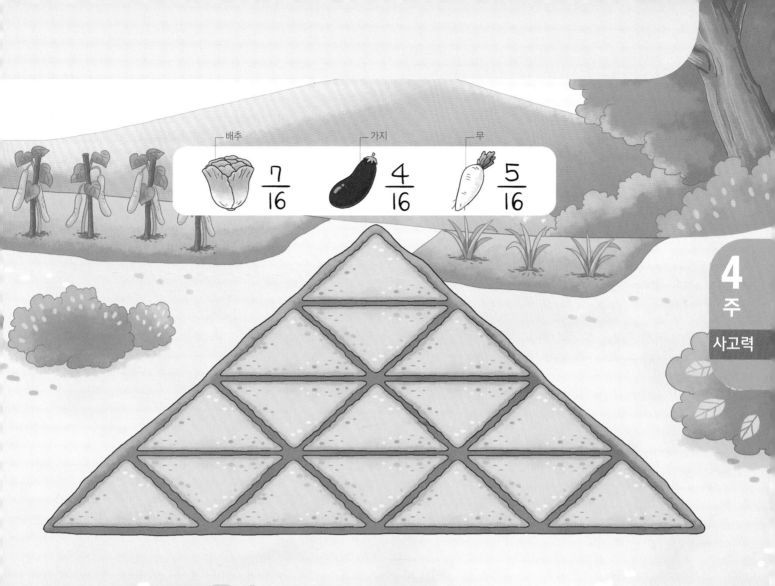

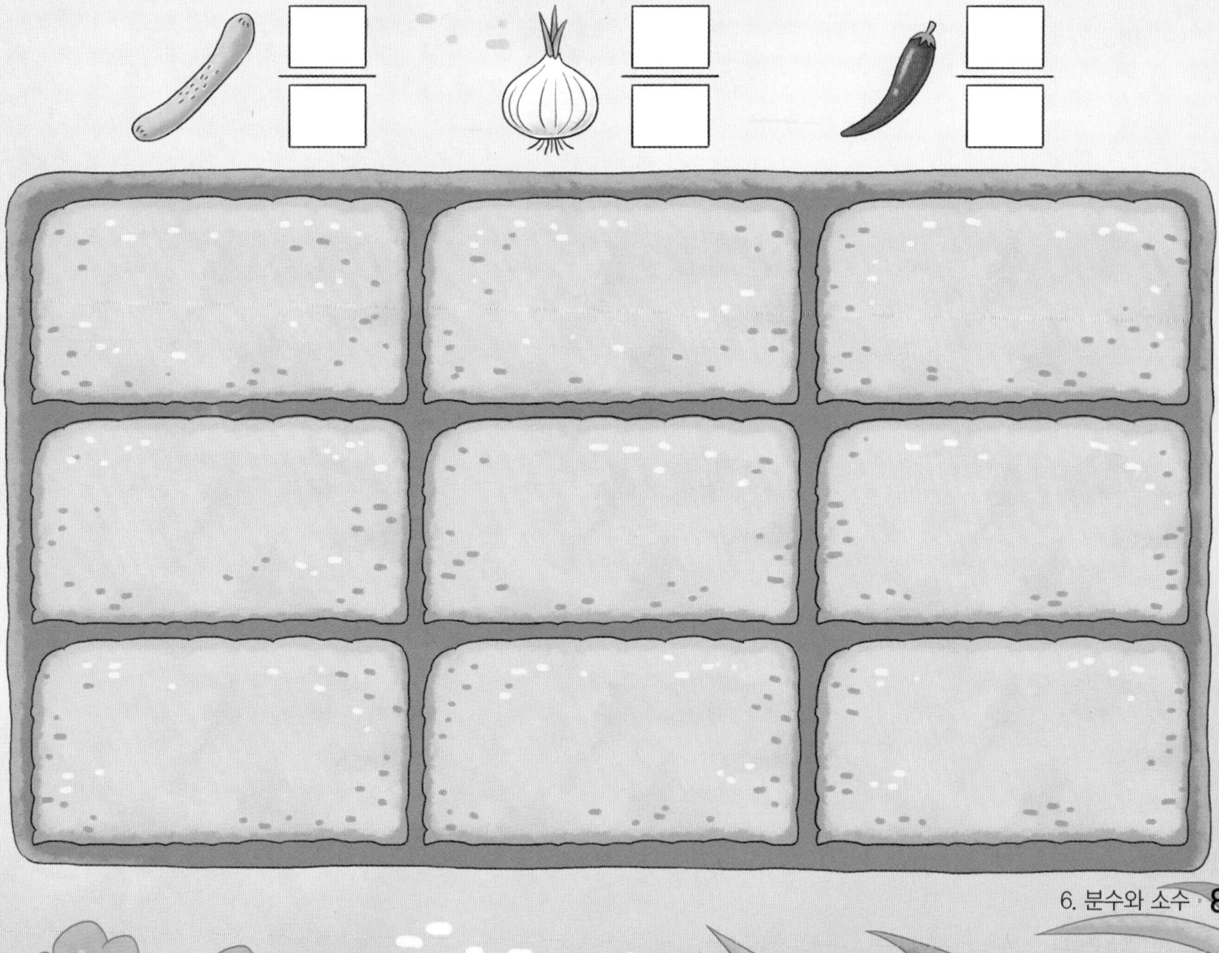

준비물 붙임딱지

곤충 채집을 하고 있습니다. 갈림길에 있는 분수의 크기를 비교하여 더 작은 분수가 있는 길로 가면서 채집한 곤충을 모두 채집통에 붙여 보세요.
(단, 한 번 지나간 길은 다시 지나갈 수 없습니다.)

채집한 곤충 붙임딱지를 붙여 보세요.

토끼가 당근을 주워 집으로 가려고 합니다. 각 칸의 소수의 크기를 비교하여 더 큰 소수가 있는 길로 가 보세요. 무서운 동물을 피해 집까지 갔을 때 모은 당근을 모두 붙여 보세요.

(단, 한 번 지나간 칸은 다시 지나갈 수 없습니다.)

1 단계

교과 사고력 잡기

1 **준호는 동화책을 어제는 전체의 $\frac{3}{11}$을 읽었고 오늘은 전체의 $\frac{1}{11}$이 6개인 수만큼 읽었습니다. 남은 동화책의 양은 전체의 얼마인지 분수로 나타내어 보세요.**

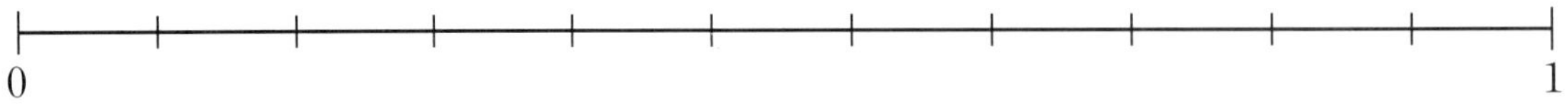

① 어제 읽은 동화책의 양만큼 수직선에 나타내어 보세요.

② ①에서 나타낸 양에 이어서 오늘 읽은 동화책의 양만큼 수직선에 나타내어 보세요.

③ 남은 동화책의 양은 전체의 얼마인지 분수로 나타내어 보세요.

(   )

2

마트, 우체국, 학교, 수영장 중에서 지영이네 집에서 가장 먼 곳은 어디인지 구해 보세요.

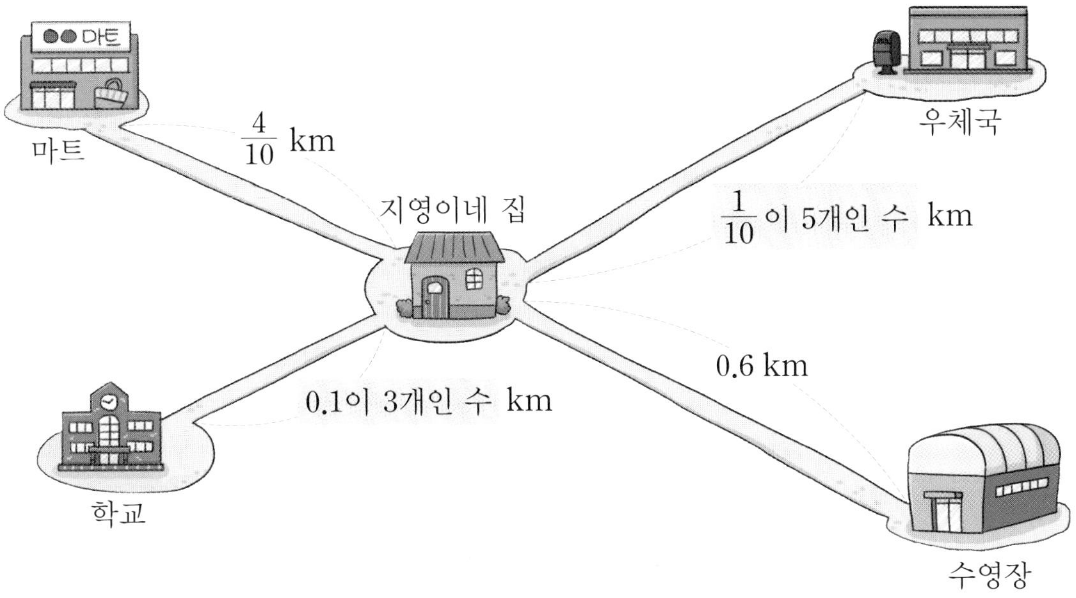

❶ 지영이네 집에서 마트까지의 거리는 몇 km인지 소수로 나타내어 보세요.

( )

❷ 지영이네 집에서 우체국까지의 거리는 몇 km인지 소수로 나타내어 보세요.

( )

❸ 지영이네 집에서 학교까지의 거리는 몇 km인지 소수로 나타내어 보세요.

( )

❹ 지영이네 집에서 가장 먼 곳은 어디일까요?

( )

3

다음은 어떤 규칙에 따라 분수를 늘어놓은 것입니다. 오른쪽 도형에 10번째 분수만큼 색칠해 보세요.

$\frac{1}{30}$ $\frac{3}{29}$ $\frac{5}{28}$ $\frac{7}{27}$……

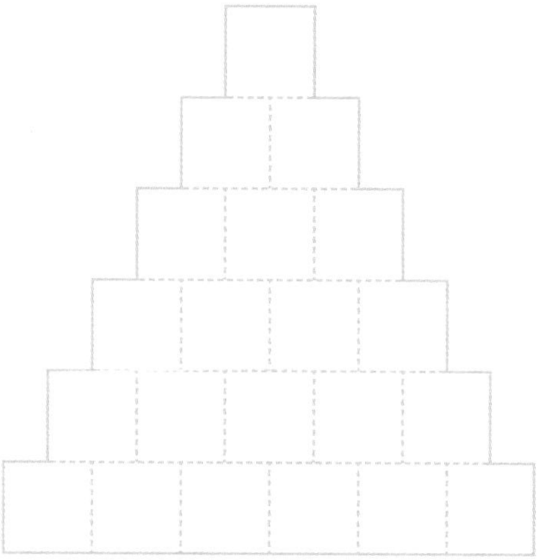

❶ 알맞은 말에 ○표 하세요.

분자는 1, 3, 5, 7……로 (2 , 3)씩 커지고 있습니다.
분모는 30, 29, 28, 27……로 1씩 (커지고 , 작아지고) 있습니다.

❷ 10번째 분수를 구해 보세요.

(　　　　　　　　)

❸ 도형에 10번째 분수만큼 색칠해 보세요.

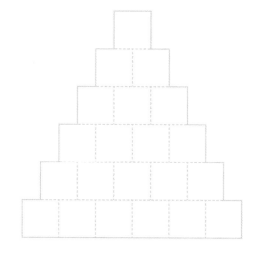

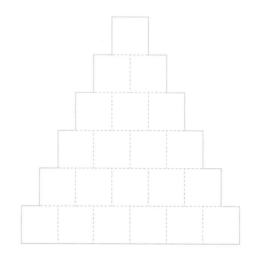

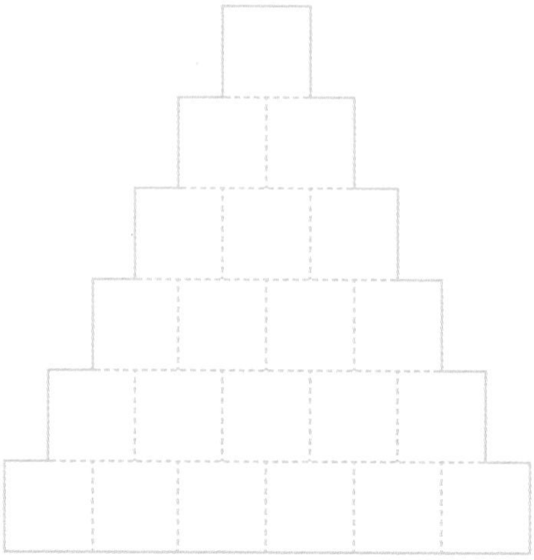

정답과 풀이 p.21

4

석진이의 도서대출증은 가로는 7 cm이고, 세로는 가로보다 3.4 cm 더 짧은 직사각형 모양입니다. 도서대출증의 네 변의 길이의 합은 몇 cm인지 소수로 나타내어 보세요.

1 3.4 cm는 몇 mm일까요?

( )

2 도서대출증의 세로는 몇 mm일까요?

( )

3 도서대출증의 네 변의 길이의 합은 몇 mm일까요?

( )

4 도서대출증의 네 변의 길이의 합은 몇 cm인지 소수로 나타내어 보세요.

( )

2단계 교과 사고력 확장

1 **주영이는 색종이를 다음과 같이 4번 접은 다음 한 면에 초록색으로 색칠하였습니다. 색칠한 부분은 전체의 몇 분의 몇인지 나타내어 보세요.**

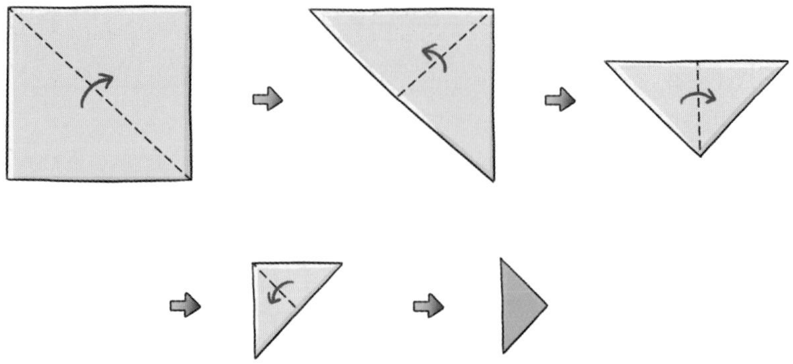

❶ 접은 모양을 펼쳤을 때 전체가 똑같이 몇으로 나누어졌는지 써 보세요.

1번 접은 모양	2번 접은 모양	3번 접은 모양	4번 접은 모양
2			

❷ 색칠한 부분은 전체의 몇 분의 몇일까요?

( )

2 **지민이네 모둠 친구들이 각각 기르는 식물입니다. 남주가 기르는 식물의 키를 ■.▲ cm라고 할 때 ■.▲ cm를 구해 보세요.**

내 건
5 cm 4 mm야.
내 건
52 mm야.
내가 기르는 식물의 키는
지민이 것보다는 크고
태영이 것보다는 작아.
?
태영
지민
남주

1 태영이와 지민이가 기르는 식물의 키는 각각 몇 cm인지 소수로 나타내어 보세요.

태영 ( ), 지민 ( )

2 남주가 기르는 식물의 키를 ■.▲ cm라고 할 때, □ 안에 알맞은 소수를 써넣으세요.

□ < ■.▲ < □

3 남주가 기르는 식물의 키는 몇 cm인지 소수로 나타내어 보세요.

( )

3 **다음과 같이 정사각형 9칸에 분모가 11인 서로 다른 분수를 규칙에 맞게 써넣고 있습니다. ㉠, ㉡, ㉢에 알맞은 분수를 구해 보세요.**

규칙

→ 방향으로 분수가 커집니다.

↓ 방향으로 분수가 작아집니다.

$\frac{5}{11}$	$\frac{6}{11}$	$\frac{9}{11}$
$\frac{3}{11}$	㉢	㉠
㉡	$\frac{2}{11}$	$\frac{7}{11}$

1 ㉠에 알맞은 분수를 구해 보세요.

( )

2 ㉡에 알맞은 분수를 구해 보세요.

( )

3 ㉢에 알맞은 분수를 구해 보세요.

( )

정답과 풀이 p.22

4 칠교판의 각 조각의 크기는 칠교판 전체의 몇 분의 몇인지 나타내어 보세요.

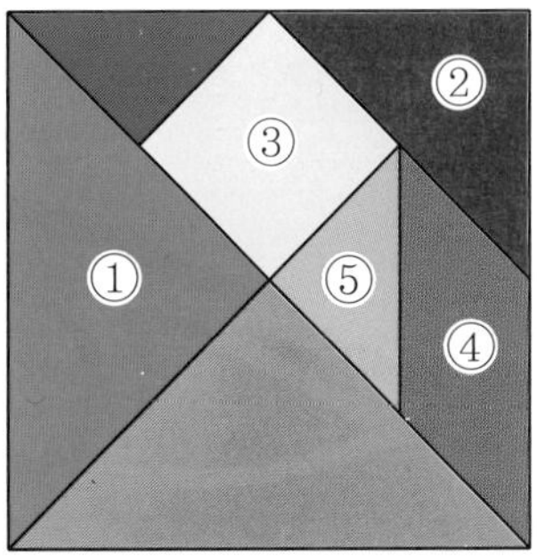

1 전체를 똑같이 나누어 보고 ①번 조각은 칠교판 전체의 몇 분의 몇인지 써 보세요.

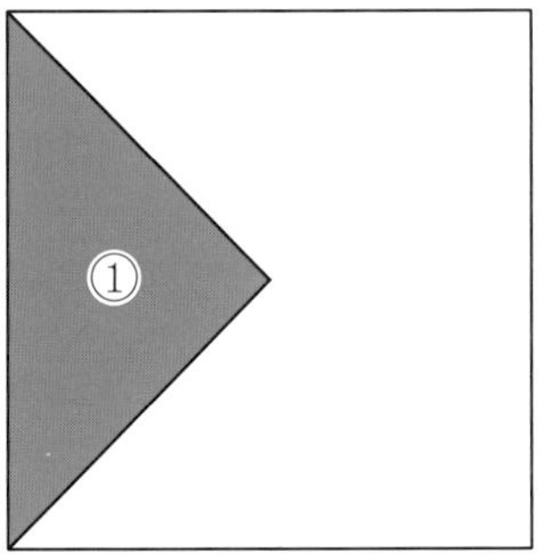

→ $\frac{1}{\square}$

2 전체를 똑같이 나누어 보고 ②번 조각은 칠교판 전체의 몇 분의 몇인지 써 보세요.

→ $\frac{1}{\square}$

3 전체를 똑같이 나누어 보고 ⑤번 조각은 칠교판 전체의 몇 분의 몇인지 써 보세요.

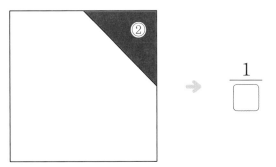

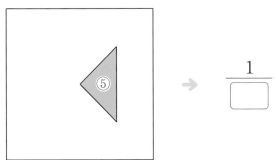

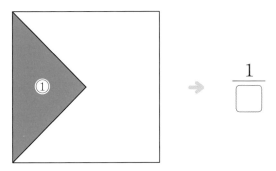

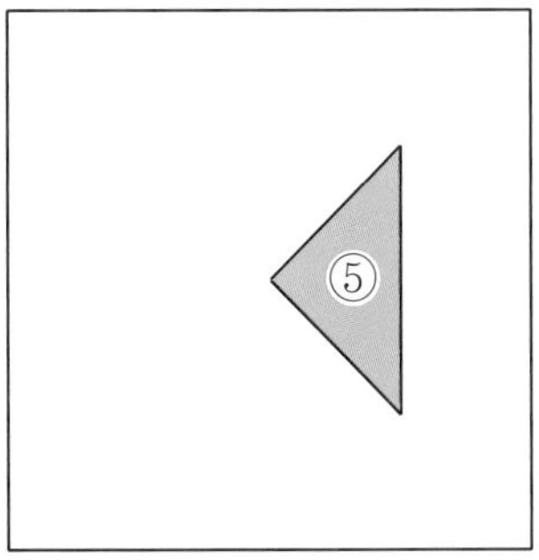

→ $\frac{1}{\square}$

3 단계 교과 사고력 완성

평가 영역 ☑개념 이해력 □개념 응용력 □창의력 □문제 해결력

1 호루스의 눈은 고대 이집트 시대 파피루스에 그려진 그림입니다. 호루스의 눈에 쓰여진 분수 중에서 가장 큰 분수와 가장 작은 분수를 써 보세요.

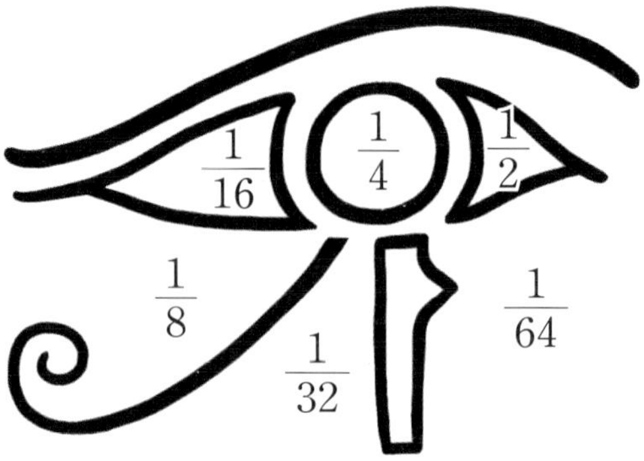

가장 큰 분수 (　　　　　　), 가장 작은 분수 (　　　　　　)

평가 영역 □개념 이해력 □개념 응용력 □창의력 ☑문제 해결력

2 왼쪽 분수가 오른쪽 분수보다 더 작도록 선으로 이어 보세요. (단, 선은 각각 한 번씩만 잇습니다.)

$\frac{1}{8}$ •	• $\frac{4}{8}$
$\frac{5}{8}$ •	• $\frac{2}{8}$
$\frac{3}{8}$ •	• $\frac{7}{8}$

평가 영역 □개념 이해력 □개념 응용력 ☑창의력 □문제 해결력

3 도형에서 색칠한 부분은 전체의 몇 분의 몇인지 □ 안에 알맞은 수를 써넣으세요.

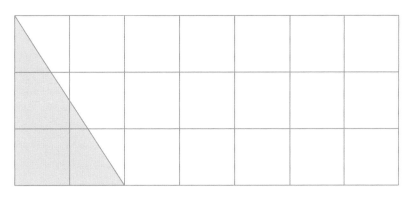

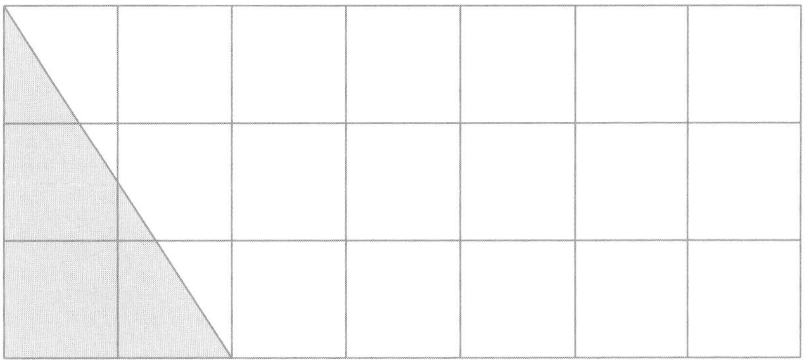

→ $\frac{1}{\square}$

평가 영역 ☑개념 이해력 □개념 응용력 □창의력 □문제 해결력

4 가로(→), 세로(↓), 대각선(↘, ↙) 방향으로 같은 수가 3개씩 놓인 것을 모두 찾아 ⬭로 묶어 보세요.

영 점 삼	3.2	$\frac{7}{10}$	영 점 칠	5.1
0.9	$\frac{3}{10}$	1	0.2	0.1이 51개
0.1이 14개	0.1이 23개	0.3	영 점 육	오 점 일
일 점 사	2.3	$\frac{6}{10}$	1.8	영 점 오
1.4	0.1이 6개	영 점 이	0.2	$\frac{2}{10}$

1 똑같이 나누어지지 않은 것에 ○표 하세요.

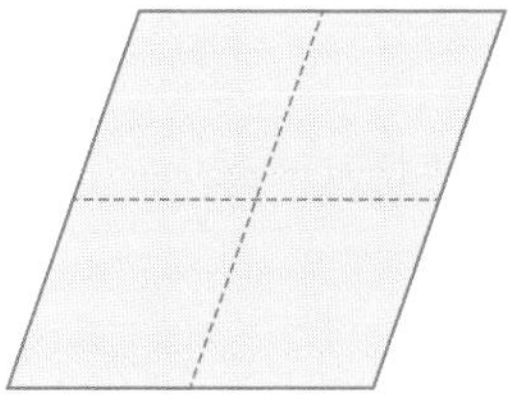 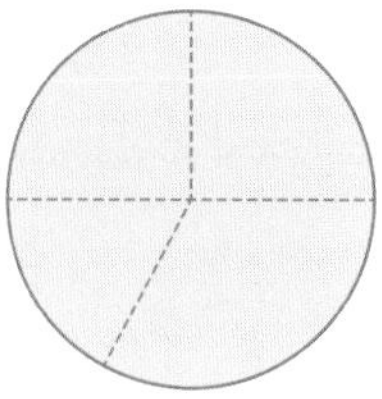 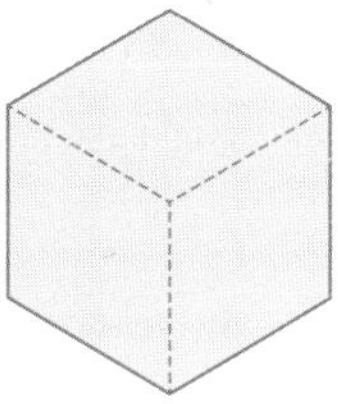

( ) ( ) ( )

2 □ 안에 알맞게 써넣으세요.

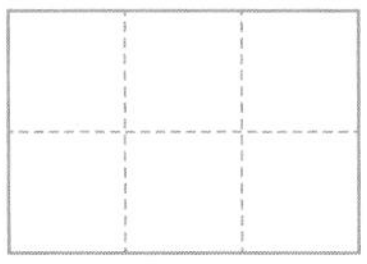

부분 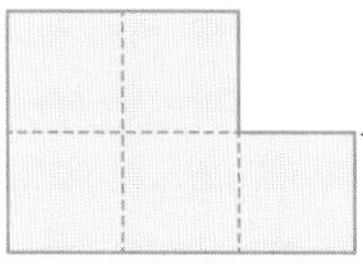 은 전체 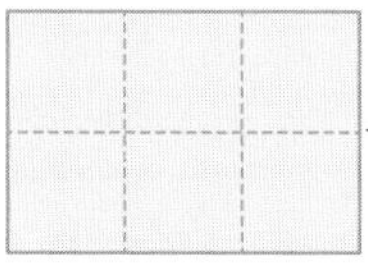 를 똑같이 □(으)로 나눈 것 중의 □이므로 □(이)라 쓰고 □(이)라고 읽습니다.

3 □ 안에 알맞은 분수 또는 소수를 써넣으세요.

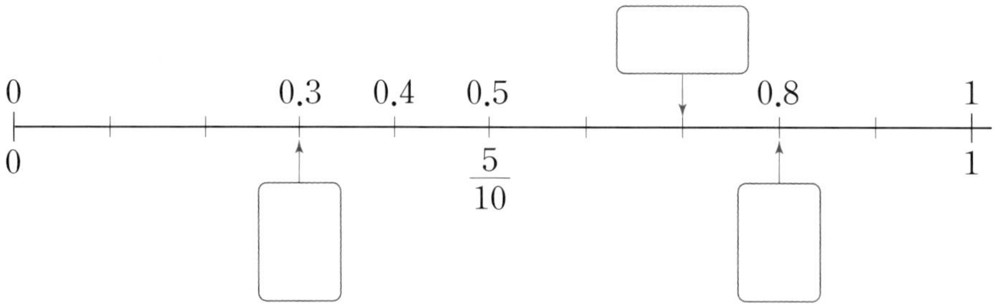

4 부분을 보고 전체를 그려 보세요.

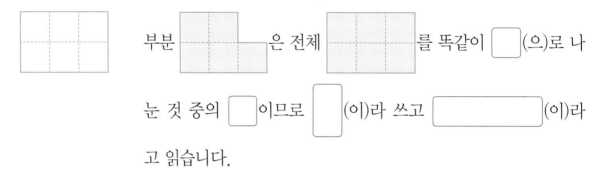

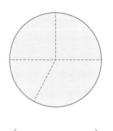

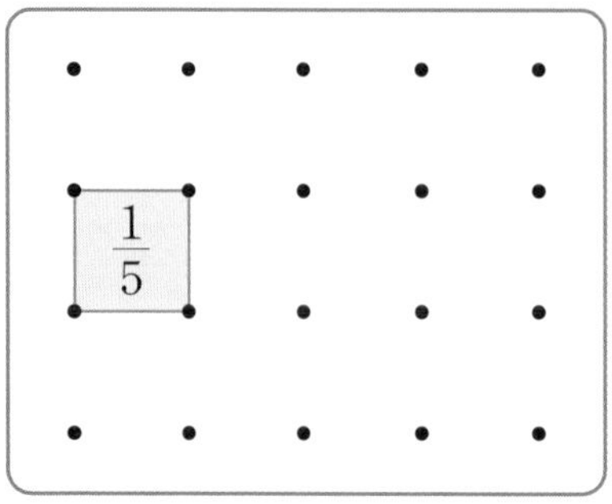

5 같은 것끼리 선으로 이어 보세요.

0.2 •

0.9 •

0.5 •

0.7 •

$\dfrac{9}{10}$ •

$\dfrac{5}{10}$ •

$\dfrac{2}{10}$ •

$\dfrac{7}{10}$ •

• 영 점 오

• 영 점 구

• 영 점 칠

• 영 점 이

4
주

평가

6 ☐ 안에 알맞은 소수를 써넣으세요.

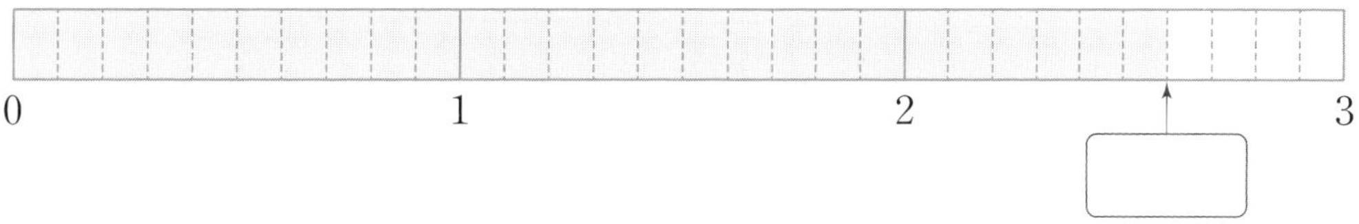

7 ☐ 안에 알맞은 수를 써넣으세요.

(1) 0.9는 0.1이 ☐개입니다.

(2) 2.4는 0.1이 ☐개입니다.

(3) 0.1이 37개이면 ☐입니다.

(4) 0.1이 16개이면 ☐입니다.

8 소수의 크기를 비교하여 ◯ 안에 >, =, <를 알맞게 써넣으세요.

(1) 5.8 ◯ 6.2　　(2) 3.4 ◯ 3.3

(3) 0.4 ◯ 0.7　　(4) 8.1 ◯ 2.9

9 떡을 똑같이 10조각으로 나누었습니다. 그중에서 지영이가 4조각을 먹고 보미가 6조각을 먹었습니다. 지영이와 보미가 먹은 떡의 양을 각각 소수로 나타내어 보세요.

지영 (　　　　　　)

보미 (　　　　　　)

10 분수의 크기를 비교하여 큰 분수부터 차례로 써 보세요.

$\frac{7}{13}$　$\frac{9}{13}$　$\frac{5}{13}$

(　　　　　　)

11 □ 안에 들어갈 수 있는 수를 모두 찾아 ◯표 하세요.

$5.5 < 5.\square$

(1 , 2 , 3 , 4 , 5 , 6 , 7 , 8 , 9)

정답과 풀이 p.24

12 가장 큰 분수와 가장 작은 분수를 각각 찾아 써 보세요.

$\frac{1}{11}$ $\frac{1}{5}$ $\frac{1}{3}$ $\frac{1}{9}$ $\frac{1}{8}$ $\frac{1}{4}$

가장 큰 분수 (   )

가장 작은 분수 (   )

13 전체에 알맞은 도형을 모두 찾아 기호를 써 보세요.

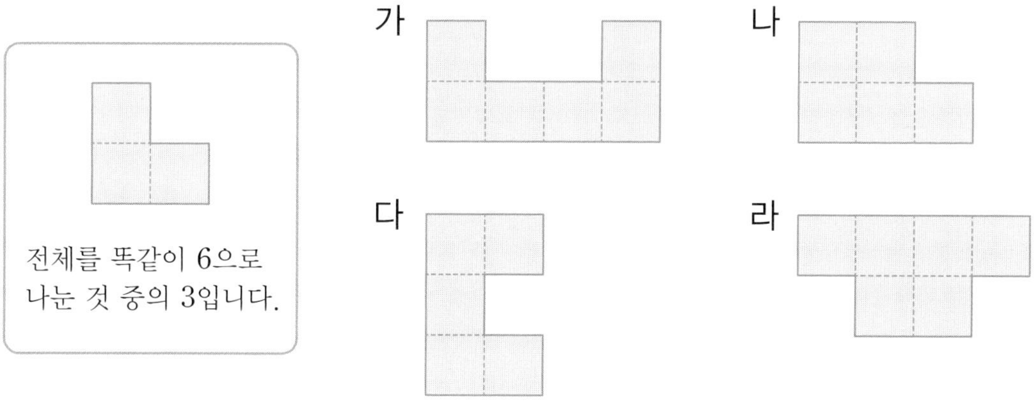
전체를 똑같이 6으로 나눈 것 중의 3입니다.
가
나
다
라

(   )

14 영지네 마을에 비가 오전에는 8 mm, 오후에는 5 mm 내렸습니다. 영지네 마을에 오늘 내린 비의 양은 모두 몇 cm인지 소수로 나타내어 보세요.

(   )

15 윤기와 친구들은 피자 한 판을 사서 그중 $\frac{5}{6}$를 먹었습니다. 먹은 피자는 남은 피자의 몇 배인지 구해 보세요.

(   )

16 혜미네 밭을 똑같이 15칸으로 나누어 가지, 오이, 배추를 심었습니다. 가장 넓은 부분에 심은 채소는 무엇이고, 밭 전체의 몇 분의 몇인지 차례로 써 보세요.

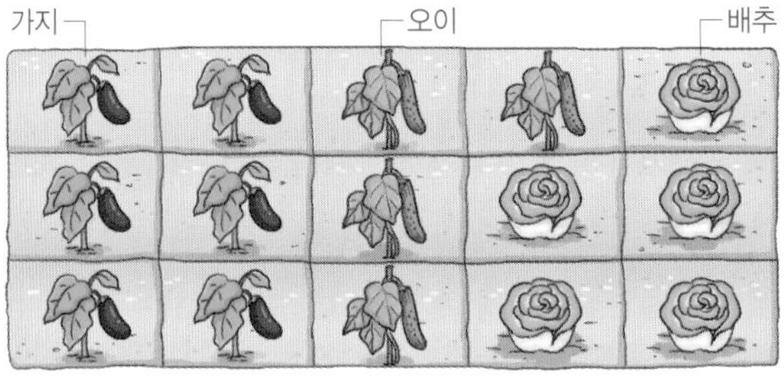

(   ), (   )

17 4장의 수 카드 중에서 2장을 뽑아 한 번씩만 사용하여 소수 ■.▲를 만들려고 합니다. 만들 수 있는 소수 중에서 둘째로 큰 수와 넷째로 큰 수를 각각 구해 보세요.

4 7 2 8

둘째로 큰 수 (   )

넷째로 큰 수 (   )

특강 창의·융합 사고력

1 우리나라 각 도시의 2019년 2월 강수량을 재어 나타낸 것입니다. 강수량이 가장 많은 도시와 가장 적은 도시를 찾고, 그 도시의 강수량이 몇 mm인지 써 보세요.

2019년 2월 강수량

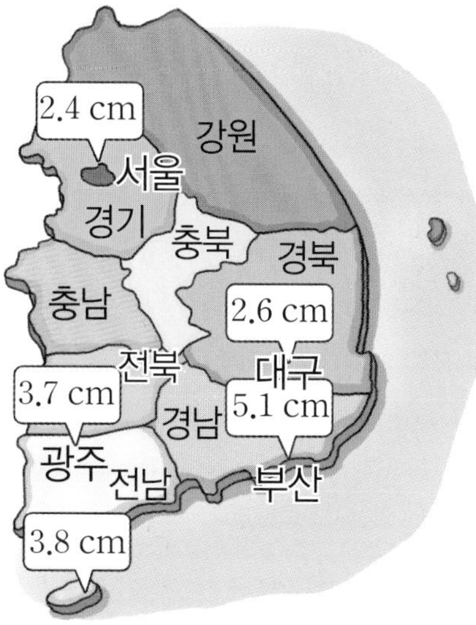

(1) 강수량이 가장 많은 도시는 어디이고, 강수량은 몇 mm인지 차례로 써 보세요.

( ), ( )

(2) 강수량이 가장 적은 도시는 어디이고, 강수량은 몇 mm인지 차례로 써 보세요.

( ), ( )

Memo

14~15쪽

2 cm 4 mm

3 cm 6 mm

6 cm 3 mm

6 cm 7 mm

7 cm 2 mm

8 cm 2 mm

11 cm

12 cm 9 mm

2 km 150 m

2 km 400 m

3 km 400 m

4 km 400 m

6 km 500 m

7 km 450 m

11 km 300 m

12 km 300 m

9시간 17분

8시 34분

2시 15분

3시간 54분

1시간 13분

11시간 25분

3시 15분

3시 54분

1시간 53분

3시 45분

8시간 17분

2시간 15분

4시간 29분 52초

5시 31분 15초

1시간 35분 53초

3시 10분 51초

2시 43분 7초

3시간 10분 51초

2시 55분 35초

3시간 25분 40초

5시간 38분 39초

2시간 49분 58초

2시 47분 40초

1시 35분 53초

2시간 10분 58초

5시 30분 15초

6cm 4mm
6cm 6mm
8cm 4mm
8cm 5mm
9cm 1mm
9cm 3mm
10cm 4mm
10cm 6mm
11cm
11cm 6mm
12cm 2mm
12cm 8mm
14cm
15cm 4mm
16cm 7mm
18cm

34~35쪽

승차권	
20○○년 ○○월 ○○일	
대구 ➡ 부산	
10:35	11:55

승차권	
20○○년 ○○월 ○○일	
전주 ➡ 용산	
09:20	10:50

승차권	
20○○년 ○○월 ○○일	
서울 ➡ 동대구	
08:40	12:50

승차권	
20○○년 ○○월 ○○일	
서대전 ➡ 목포	
07:30	10:15

승차권	
20○○년 ○○월 ○○일	
서울 ➡ 대전	
12:00	13:00

승차권	
20○○년 ○○월 ○○일	
광주 ➡ 평택	
13:10	16:50

승차권	
20○○년 ○○월 ○○일	
수원 ➡ 남원	
11:50	15:15

승차권	
20○○년 ○○월 ○○일	
부산 ➡ 서울	
12:55	18:15

승차권	
20○○년 ○○월 ○○일	
대전 ➡ 대구	
07:45	09:25

승차권	
20○○년 ○○월 ○○일	
서울 ➡ 전주	
14:55	18:10

승차권	
20○○년 ○○월 ○○일	
천안 ➡ 익산	
07:00	09:00

승차권	
20○○년 ○○월 ○○일	
강릉 ➡ 청량리	
12:10	17:50

승차권	
20○○년 ○○월 ○○일	
서울 ➡ 대구	
12:50	16:10

승차권	
20○○년 ○○월 ○○일	
목포 ➡ 서울	
09:45	12:15

승차권	
20○○년 ○○월 ○○일	
서울 ➡ 진주	
12:55	16:25

승차권	
20○○년 ○○월 ○○일	
논산 ➡ 용산	
07:25	10:00

62~63쪽

$\frac{1}{5}$ $\frac{1}{3}$ $\frac{5}{8}$ $\frac{2}{4}$ $\frac{2}{8}$

$\frac{3}{5}$ $\frac{2}{4}$ $\frac{2}{3}$ $\frac{1}{5}$ $\frac{3}{4}$

$\frac{1}{4}$ $\frac{3}{6}$ $\frac{3}{4}$ $\frac{4}{5}$ $\frac{5}{6}$

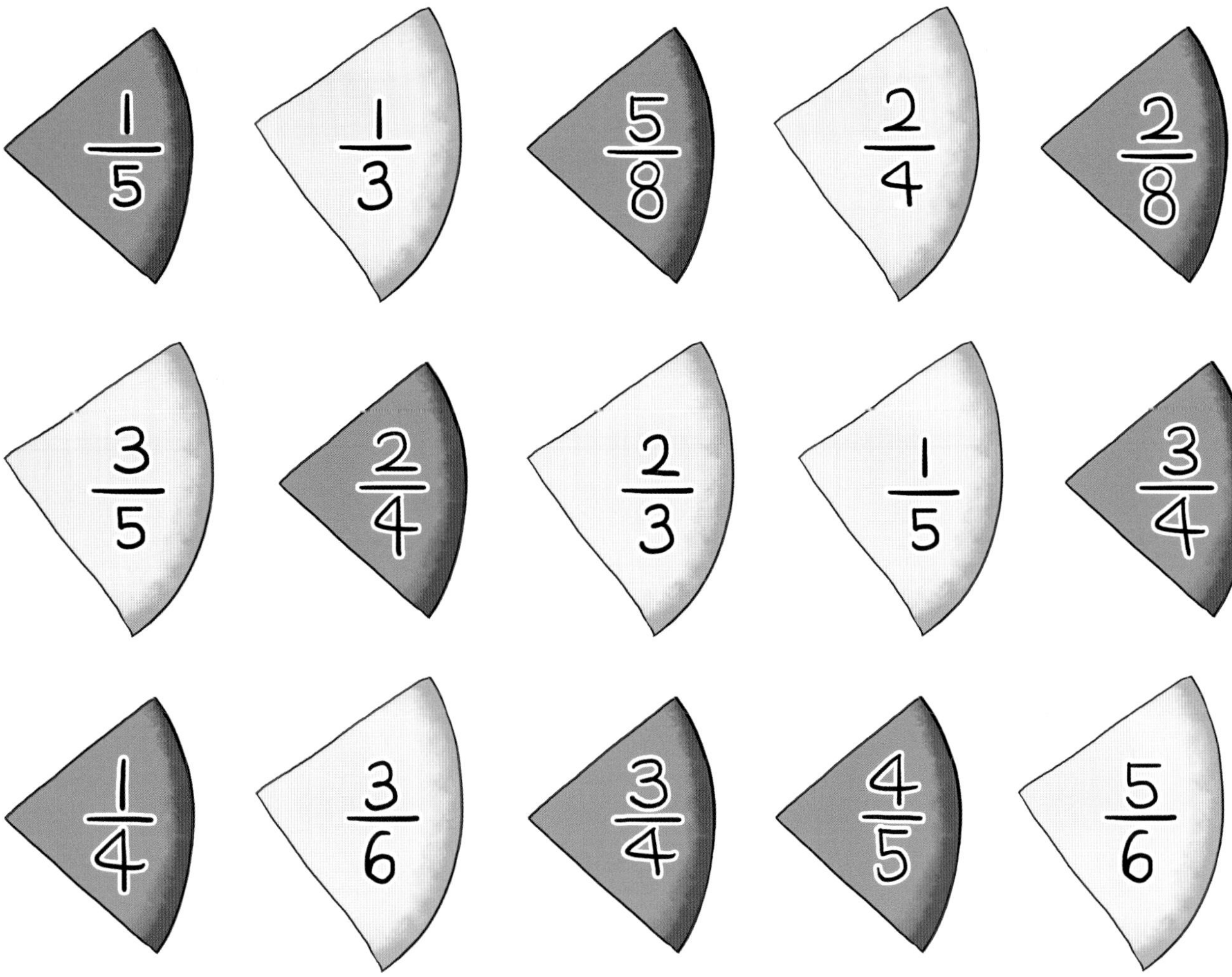

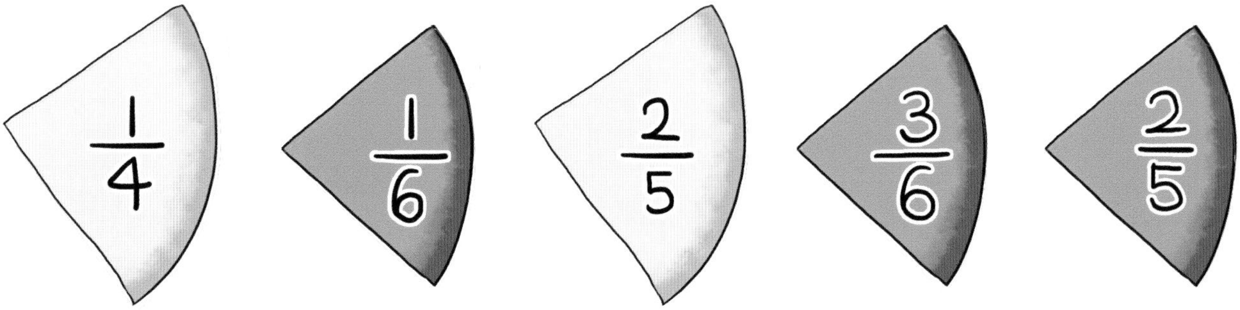

64~65쪽

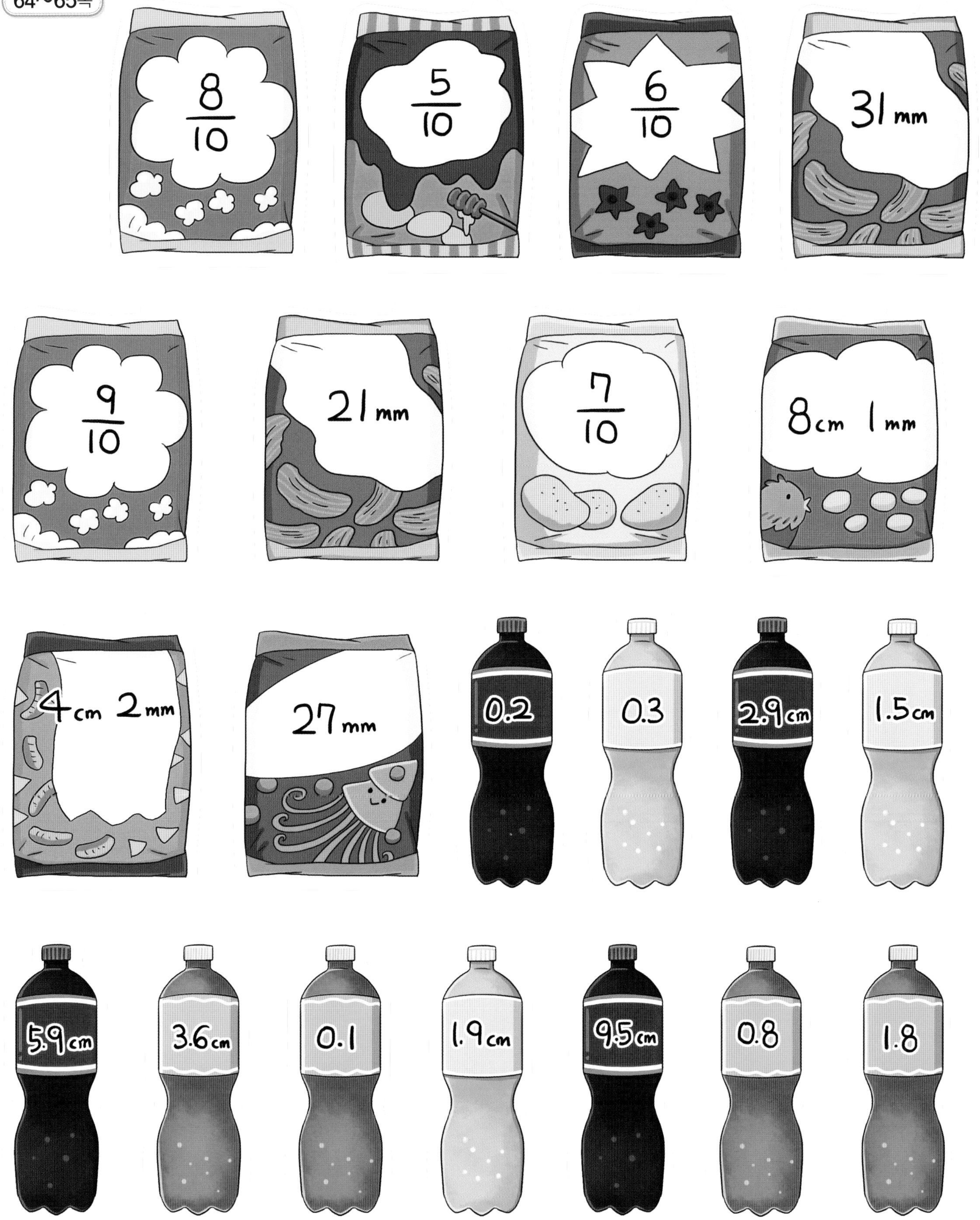

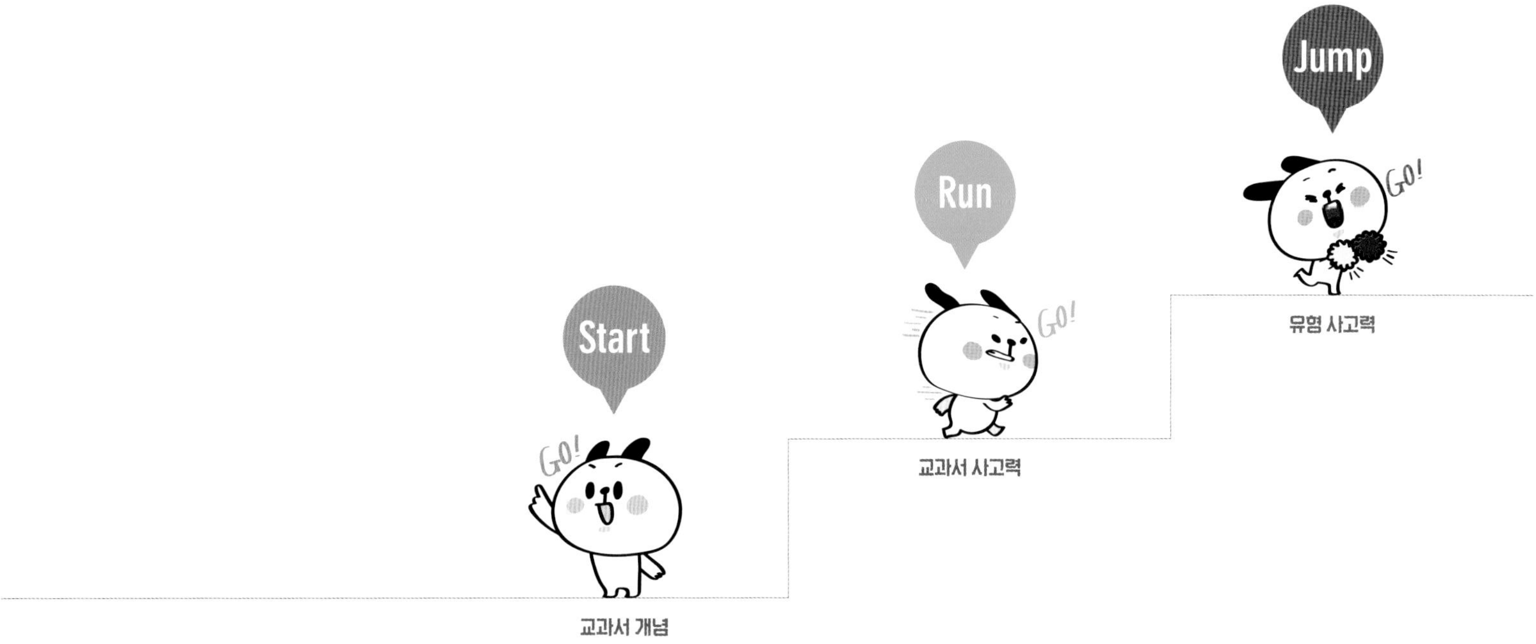
Start
GO!
교과서 개념
Run
GO!
교과서 사고력
Jump
GO!
유형 사고력

#난이도별
#천재되는_수학교재

단계별로 차근차근
수학 상위권 도약을
준비하고 있다면?

쉽고 재미있게,
단계별로
교과서와 사고력을
학습하고 싶다면?

쉽고 빠르게!
개념을 잡는
얇은 개념서를
찾는다면?

수학 실력을
높이기 위해
응용·심화 문제만
집중적으로
풀고 싶다면?

Go! 매쓰

개념 수학리더

기본 수학리더

응용·심화 수학리더

Start(교과서 개념) ★

★☆

★★★

★★★★★

Run(교과서+사고력) ★★★

Jump(유형 사고력) ★★★★★

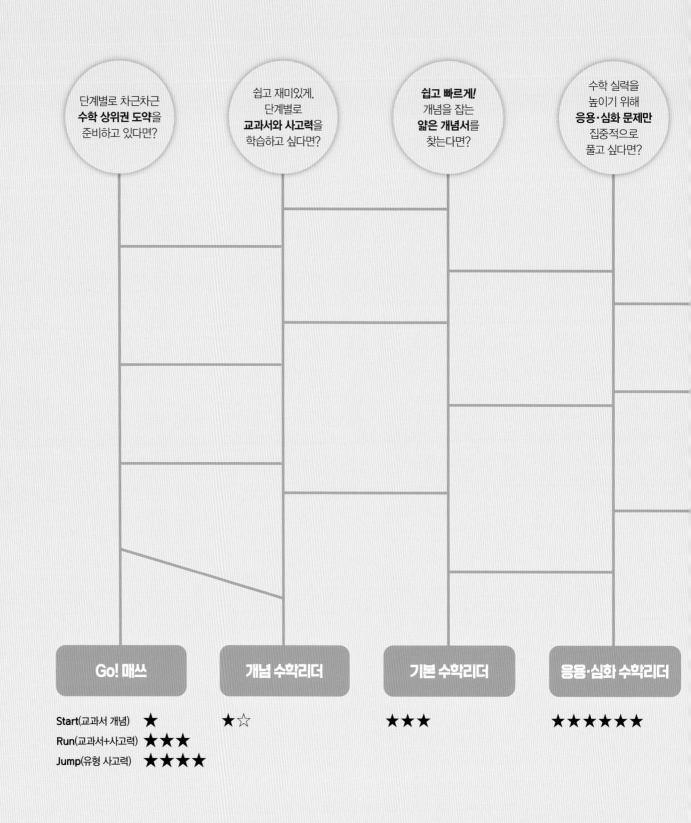

사고력 중심

교과서 GO! 사고력 GO!

GO! 매쓰

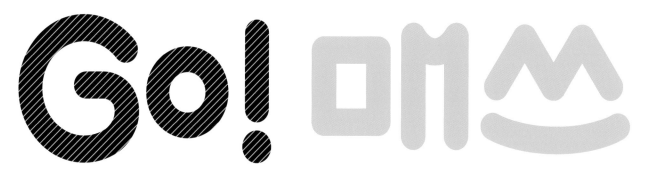

Run-C
교과서 사고력

정답과 풀이

수학 3-1

정답과 해설
포인트 2가지

▶ 선생님이나 학부모가 쉽게 문제와 풀이를 한눈에 볼 수 있어요.

▶ 자세한 활동 수업에 대한 팁이 가득하게 들어 있어요.

5 길이와 시간

단위길이

옛날에는 왕의 몸을 길이를 재는 단위로 정해 사용했습니다.
그러다 보니 왕이 바뀔 때마다 길이를 재는 단위가 바뀌어 여러 가지 문제들이 생겼습니다.
그래서 영국의 왕 헨리 1세는 자신의 코끝에서 엄지손가락 끝까지의 길이만큼을 '1야드'라고 하여
길이를 재는 기준으로 정했습니다. 1야드는 약 91 cm입니다.

1야드=약 91 cm

그럼 실생활에서 많이 사용되는 길이의 단위 사이의 관계를 알아볼까요?

1 cm와 1 m의 관계	1 m와 1 km의 관계
↓	↓
1 m=100 cm	1 km=1000 m

□ 안에 알맞은 수를 써넣으세요.

(1) 4 m = **400** cm　　　(2) 9 m = **900** cm

(3) 500 cm = **5** m　　　(4) 700 cm = **7** m

(5) 2 m 5 cm = 2 m + 5 cm
　　　= **200** cm + 5 cm = **205** cm

(6) 8 m 60 cm = 8 m + 60 cm
　　　= **800** cm + 60 cm = **860** cm

✧ 1 m = 100 cm입니다.

정민이와 민재의 키를 비교하여 알맞은 말에 ○표 하세요.

내 키는 130 cm야.　　내 키는 1 m 30 cm야.

정민　　민재

➡ 정민이와 민재의 키는 서로 (같습니다 , 다릅니다).

✧ 130 cm = 100 cm + 30 cm
　　= 1 m + 30 cm = 1 m 30 cm

---

1 단계 교과서 개념 잡기

개념 확인 문제

정답과 풀이 p.1

개념 **1** 1 cm보다 작은 단위
• 1 mm: 1 cm를 10칸으로 똑같이 나누었을 때 작은 눈금 한 칸의 길이

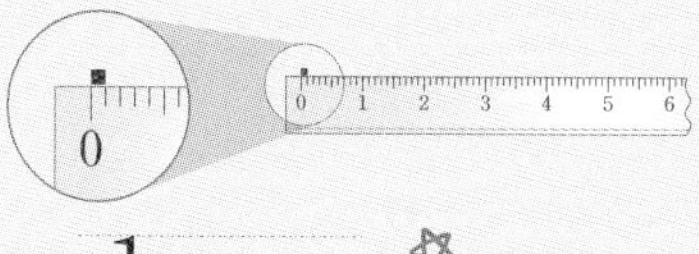

쓰기 **1 mm**

1 cm = 10 mm

읽기 1 밀리미터

예 3 cm보다 7 mm 더 긴 것

쓰기 **3 cm 7 mm**

3 cm 7 mm는 37 mm예요.

읽기 3 센티미터 7 밀리미터
3 cm 7 mm = 3 cm + 7 mm
　　= 30 mm + 7 mm = 37 mm

개념 **2** 1 m보다 큰 단위
• 1 km: 1000 m의 길이

쓰기 **1 km**

1000 m = 1 km

읽기 1 킬로미터

예 5 km보다 600 m 더 긴 것

쓰기 **5 km 600 m**

5 km 600 m는 5600 m예요.

읽기 5 킬로미터 600 미터
5 km 600 m = 5 km + 600 m
　　= 5000 m + 600 m = 5600 m

1-1 □ 안에 알맞은 수를 써넣으세요.

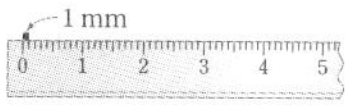

➡ 1 cm = **10** mm

1-2 지우개의 길이는 몇 cm 몇 mm인지 써 보세요.

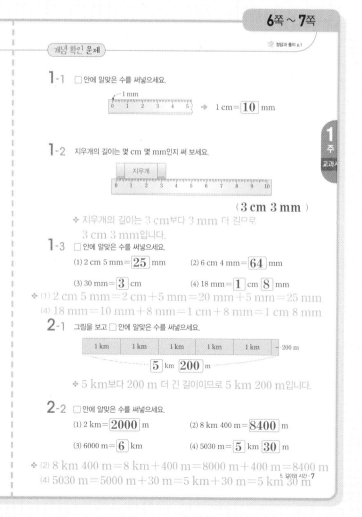

(**3 cm 3 mm**)

✧ 지우개의 길이는 3 cm보다 3 mm 더 길므로
3 cm 3 mm입니다.

1-3 □ 안에 알맞은 수를 써넣으세요.

(1) 2 cm 5 mm = **25** mm　　(2) 6 cm 4 mm = **64** mm

(3) 30 mm = **3** cm　　(4) 18 mm = **1** cm **8** mm

✧ (1) 2 cm 5 mm = 2 cm + 5 mm = 20 mm + 5 mm = 25 mm
(4) 18 mm = 10 mm + 8 mm = 1 cm + 8 mm = 1 cm 8 mm

2-1 그림을 보고 □ 안에 알맞은 수를 써넣으세요.

1 km	1 km	1 km	1 km	1 km	200 m

5 km **200** m

✧ 5 km보다 200 m 더 긴 길이이므로 5 km 200 m입니다.

2-2 □ 안에 알맞은 수를 써넣으세요.

(1) 2 km = **2000** m　　(2) 8 km 400 m = **8400** m

(3) 6000 m = **6** km　　(4) 5030 m = **5** km **30** m

✧ (2) 8 km 400 m = 8 km + 400 m = 8000 m + 400 m = 8400 m
(4) 5030 m = 5000 m + 30 m = 5 km + 30 m = 5 km 30 m

1단계 교과서 개념 잡기

개념 3 길이와 거리를 어림하고 재어 보기

- 클립의 길이를 기준으로 풀의 길이를 어림하기

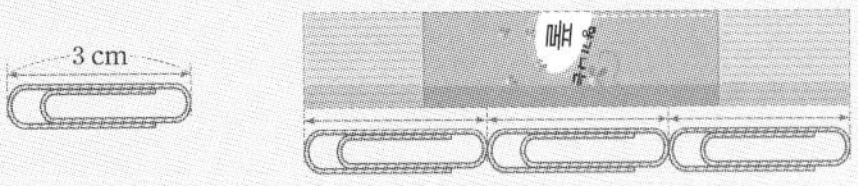
3 cm

→ 풀의 길이는 클립의 길이의 약 3배이므로 약 9 cm입니다.

- 거리 어림하기

기차역
소방서
약 500 m
버스 정류장
은행
공원
경찰서
학교
도서관

① 기차역에서 학교까지의 거리: 약 1 km 500 m
(기차역에서 버스 정류장까지의 거리의 3배입니다.)

② 기차역에서 약 1 km 떨어진 곳에 있는 장소: 경찰서, 소방서
(1 km는 500 m의 2배이므로 기차역에서 버스 정류장까지의 거리의 2배인 곳을 찾아봅니다.)

개념 4 길이의 덧셈과 뺄셈

- cm와 mm의 덧셈과 뺄셈

cm는 cm끼리, mm는 mm끼리 계산합니다.

$$\begin{array}{rr} & 4\text{ cm} & 2\text{ mm} \\ + & 2\text{ cm} & 3\text{ mm} \\ \hline & 6\text{ cm} & 5\text{ mm} \end{array}$$
(4+2=6, 2+3=5)

$$\begin{array}{rr} & 7\text{ cm} & 9\text{ mm} \\ - & 5\text{ cm} & 6\text{ mm} \\ \hline & 2\text{ cm} & 3\text{ mm} \end{array}$$
(7−5=2, 9−6=3)

- km와 m의 덧셈과 뺄셈

km는 km끼리, m는 m끼리 계산합니다.

$$\begin{array}{rr} & 3\text{ km} & 200\text{ m} \\ + & 1\text{ km} & 300\text{ m} \\ \hline & 4\text{ km} & 500\text{ m} \end{array}$$
(3+1=4, 200+300=500)

$$\begin{array}{rr} & 5\text{ km} & 800\text{ m} \\ - & 2\text{ km} & 500\text{ m} \\ \hline & 3\text{ km} & 300\text{ m} \end{array}$$
(5−2=3, 800−500=300)

개념 확인 문제

정답과 풀이 p.2

3-1 과자의 길이를 어림하고 자로 재어 보세요.

어림한 길이	잰 길이
예 약 11 cm	11 cm 3 mm

113 mm라고 써도 됩니다.

3-2 학교에서 약 1 km 떨어진 곳에는 어떤 장소가 있는지 써 보세요.

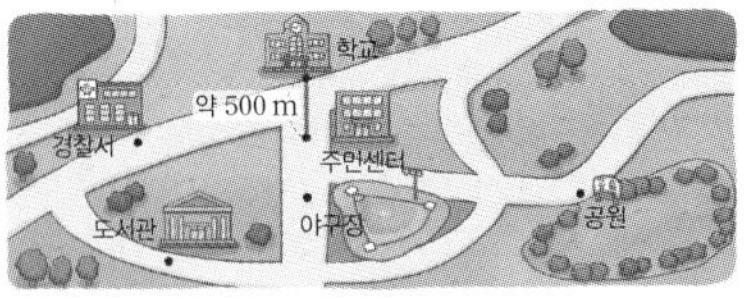
학교
약 500 m
경찰서
주민센터
도서관
야구장
공원

(야구장)

❖ 1 km는 500 m의 2배이므로 학교에서 주민센터까지의 거리의 2배인 곳을 찾으면 야구장입니다.

4-1 □ 안에 알맞은 수를 써넣으세요.

(1) 3 cm 2 mm + 1 cm 5 mm = [4] cm [7] mm

(2) 8 cm 7 mm − 4 cm 3 mm = [4] cm [4] mm

❖ cm는 cm끼리, mm는 mm끼리 계산합니다.

4-2 □ 안에 알맞은 수를 써넣으세요.

(1) 2 km 400 m + 4 km 300 m = [6] km [700] m

(2) 6 km 900 m − 5 km 600 m = [1] km [300] m

❖ km는 km끼리, m는 m끼리 계산합니다.

1단계 교과서 개념 잡기

개념 5 1분보다 작은 단위

- 1초: 초바늘이 작은 눈금 한 칸을 가는 동안 걸리는 시간

작은 눈금 한 칸=1초

- 60초: 초바늘이 시계를 한 바퀴 도는 데 걸리는 시간

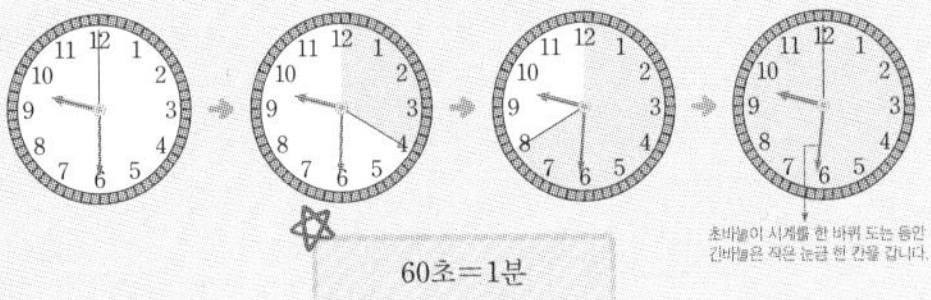

60초=1분

초바늘이 시계를 한 바퀴 도는 동안 긴바늘은 작은 눈금 한 칸을 갑니다.

개념 6 시각 읽기

초바늘이 가리키는 숫자와 나타내는 시각

가리키는 숫자	1	2	3	4	5	6	7	8	9	10	11
나타내는 시각	5초	10초	15초	20초	25초	30초	35초	40초	45초	50초	55초

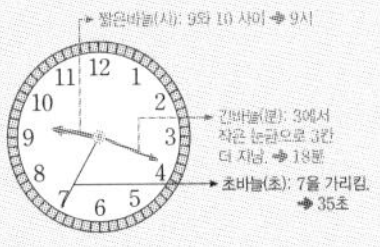
짧은바늘(시): 9와 10 사이 → 9시
긴바늘(분): 3에서 작은 눈금으로 3칸 더 지남. → 18분
초바늘(초): 7을 가리킴. → 35초

→ 9시 18분 35초

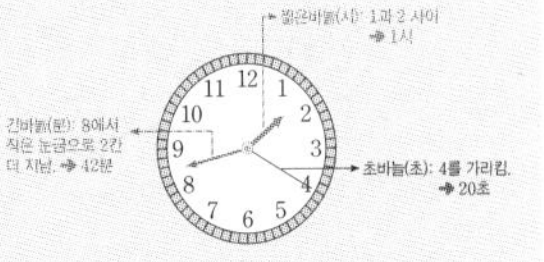
짧은바늘(시): 1과 2 사이 → 1시
긴바늘(분): 8에서 작은 눈금으로 2칸 더 지남. → 42분
초바늘(초): 4를 가리킴. → 20초

→ 1시 42분 20초

개념 확인 문제

정답과 풀이 p.2

5-1 알맞은 말에 ○표 하세요.

(1) 초바늘이 작은 눈금 한 칸을 가는 동안 걸리는 시간은 (1초(○), 60초)입니다.

(2) 초바늘이 시계를 한 바퀴 도는 데 걸리는 시간은 (1분(○), 60분)입니다.

5-2 □ 안에 알맞은 수를 써넣으세요.

(1) 100초=[1]분 [40]초

(2) 150초=[2]분 [30]초

(3) 3분=[180]초

(4) 2분 15초=[135]초

❖ (1) 100초=60초+40초=1분 40초
(2) 150초=120초+30초=2분 30초
(3) 3분=60초×3=180초
(4) 2분 15초=60초×2+15초=120초+15초=135초

6-1 시계에 초바늘을 알맞게 그려 보세요.

(1) 9시 30분 25초

(2) 3시 45분 32초

6-2 시각을 읽어 보세요.

(1)

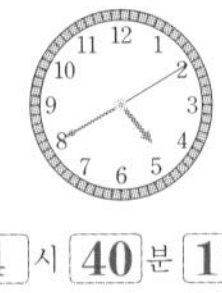

[4]시 [40]분 [10]초

(2)

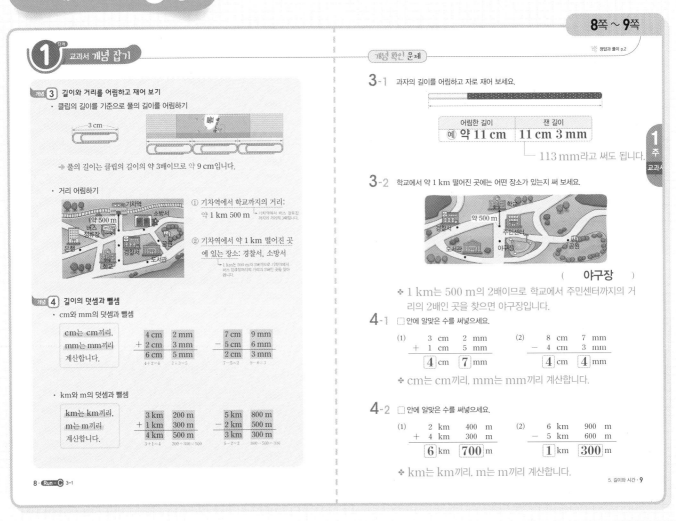

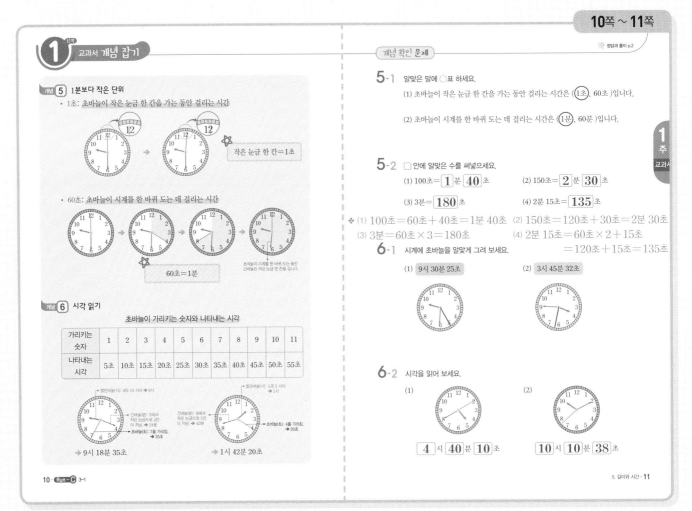

[10]시 [10]분 [38]초

① 단계 교과서 **개념 잡기**

개념 확인 문제

정답과 풀이 p.3

개념 ⑦ 시간의 덧셈

시는 시끼리, 분은 분끼리, 초는 초끼리 계산합니다.

• 받아올림이 없는 시간의 덧셈

① (시간)+(시간)=(시간)

```
    4시간  10분  25초
 +  1시간  25분  20초
    5시간  35분  45초
```
4+1=5   10+25=35   25+20=45

② (시각)+(시간)=(시각)

```
    4시   35분  10초
 +  1시간  20분  30초
    5시   55분  40초
```
4+1=5   35+20=55   10+30=40

• 받아올림이 있는 시간의 덧셈

① (시간)+(시간)=(시간)

```
       43분  50초
 +     12분  25초
       55분  75초
    +1시 ←60초
    56분  15초
```
60초를 1분으로 받아올림합니다.

② (시각)+(시간)=(시각)

```
    2시   30분  35초
 +  3시간  45분  10초
    5시   75분  45초
  +1시간 ←60분
    6시   15분  45초
```
60분을 1시간으로 받아올림합니다.

개념 ⑧ 시간의 뺄셈

시는 시끼리, 분은 분끼리, 초는 초끼리 계산합니다.

• 받아내림이 없는 시간의 뺄셈

① (시간)−(시간)=(시간)

```
    15분  40초
 −   5분  20초
    10분  20초
```
15−5=10   40−20=20

② (시각)−(시간)=(시각)

```
    9시   55분  30초
 −  2시간  40분  15초
    7시   15분  15초
```
9−2=7   55−40=15   30−15=15

• 받아내림이 있는 시간의 뺄셈

① (시간)−(시간)=(시간)

```
       44
    4시간  45분  10초
 −  2시간  30분  50초
    2시간  14분  20초
```
1분을 60초로 받아내림합니다.
받아내림한 후 →60+10=70, 70−50=20

② (시각)−(시각)=(시각)

```
        9
    10시  30분  55초
 −   5시  55분  25초
    4시간  35분  30초
```
1시간을 60분으로 받아내림합니다.
받아내림한 후 →60+30=90, 90−55=35

7-1 ☐ 안에 알맞은 수를 써넣으세요.

(1)
```
      9분  20초
 +    4분  15초
     13분  35초
```

(2)
```
    1시   25분  10초
 +  1시간  15분  20초
    2시   40분  30초
```

❖ (1) 분은 분끼리, 초는 초끼리 계산합니다. (시간)+(시간)=(시간)
(2) 시는 시끼리, 분은 분끼리, 초는 초끼리 계산합니다. (시각)+(시간)=(시각)

7-2 지금은 5시 40분입니다. 45분 후의 시각을 구해 보세요.

 45분 후

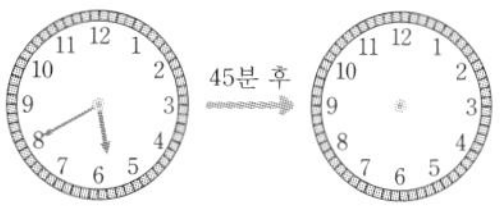

```
       5시   40분
 +          45분
       5시   85분
    +1시간 ←60분
       6시   25분
```

❖ 분끼리의 합이 60보다 크므로 60분을 1시간으로 받아올림합니다.
(시각)+(시간)=(시각)

8-1 ☐ 안에 알맞은 수를 써넣으세요.

(1)
```
    10분  45초
 −   6분  10초
     4분  35초
```

(2)
```
    3시   45분  55초
 −  1시간  20분  45초
    2시   25분  10초
```

❖ (1) 분은 분끼리, 초는 초끼리 계산합니다. (시간)−(시간)=(시간)
(2) 시는 시끼리, 분은 분끼리, 초는 초끼리 계산합니다. (시각)−(시간)=(시각)

8-2 지금은 11시 15분입니다. 30분 전의 시각을 구해 보세요.

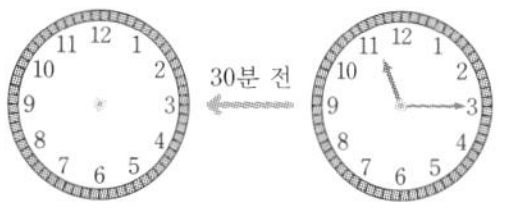

 30분 전

```
    11시  15분
 −        30분
    10시  45분
```

❖ 분끼리 뺄 수 없으므로 1시간을 60분으로 받아내림합니다.
(시각)−(시간)=(시각)

1주 교과서

PLAY 교과서 **개념 스토리** 슬러시 컵 찾기

계산 결과가 써 있는 컵 붙임딱지를 찾아 붙여 보세요.

❖ cm는 cm끼리, mm는 mm끼리 계산합니다.

❖ km는 km끼리, m는 m끼리 계산합니다.

1주 교과서

16쪽 ~ 17쪽

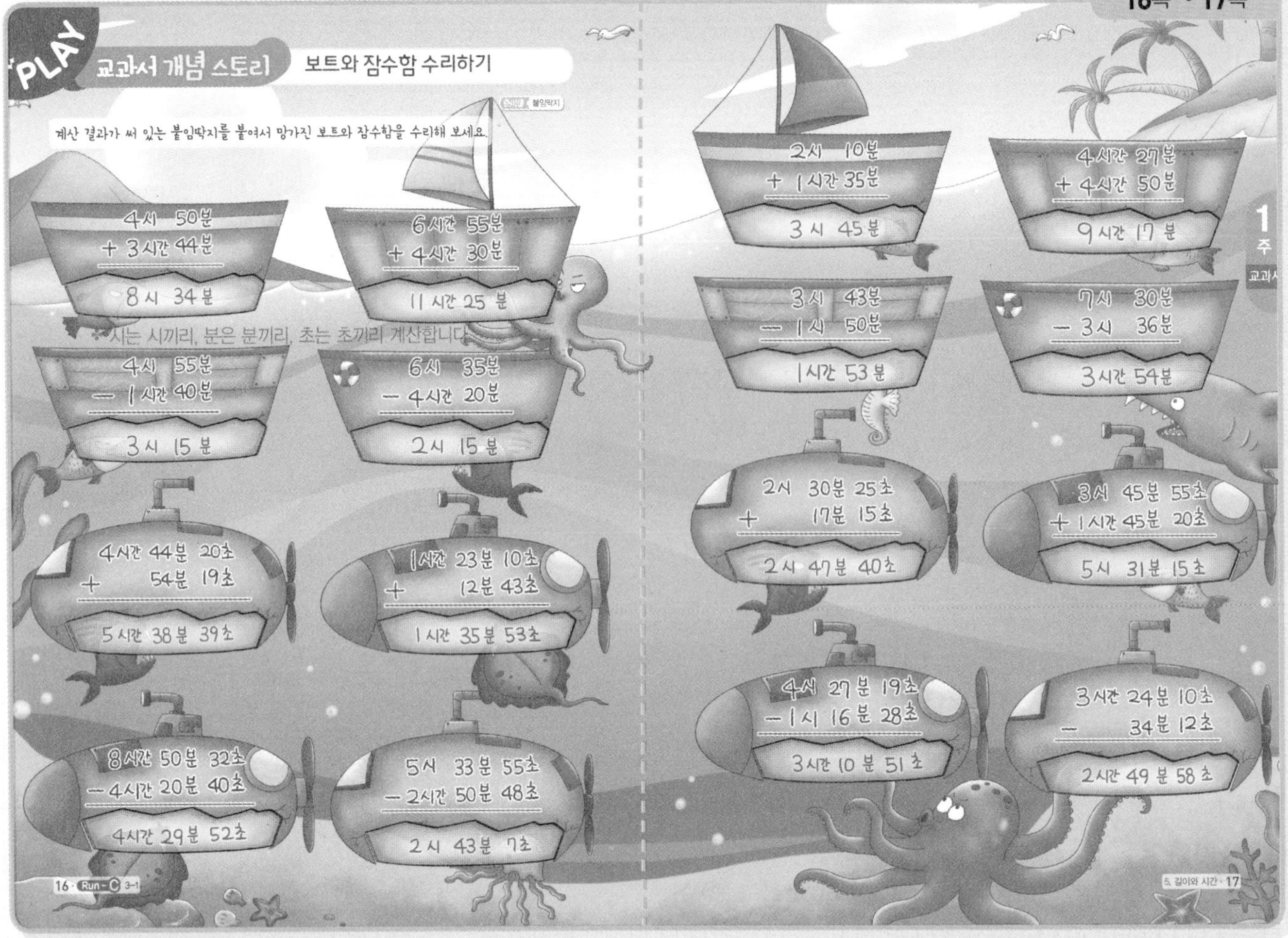
PLAY 교과서 개념 스토리 보트와 잠수함 수리하기
계산 결과가 써 있는 붙임딱지를 붙여서 망가진 보트와 잠수함을 수리해 보세요.
4시 50분 + 3시간 44분 = 8시 34분
6시간 55분 + 4시간 30분 = 11시간 25분
✣ 시는 시끼리, 분은 분끼리, 초는 초끼리 계산합니다.
4시 55분 − 1시간 40분 = 3시 15분
6시 35분 − 4시간 20분 = 2시 15분
4시간 44분 20초 + 54분 19초 = 5시간 38분 39초
1시간 23분 10초 + 12분 43초 = 1시간 35분 53초
8시간 50분 32초 − 4시간 20분 40초 = 4시간 29분 52초
5시 33분 55초 − 2시간 50분 48초 = 2시 43분 7초
2시 10분 + 1시간 35분 = 3시 45분
4시간 27분 + 4시간 50분 = 9시간 17분
3시 43분 − 1시 50분 = 1시간 53분
7시 30분 − 3시 36분 = 3시간 54분
2시 30분 25초 + 17분 15초 = 2시 47분 40초
3시 45분 55초 + 1시간 45분 20초 = 5시 31분 15초
4시 27분 19초 − 1시 16분 28초 = 3시간 10분 51초
3시간 24분 10초 − 34분 12초 = 2시간 49분 58초
16 · Run-C 3-1
5. 길이와 시간 · 17

18쪽 ~ 19쪽

2단계 교과서 개념 다지기

개념 1 1 cm보다 작은 단위

01 연필심의 길이는 몇 mm인지 써 보세요.

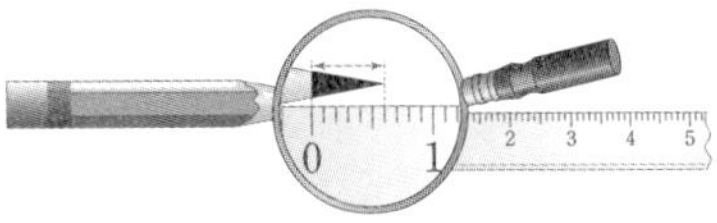

(6 mm)

✣ 1 mm가 6칸이므로 6 mm입니다.

02 같은 길이끼리 선으로 이어 보세요.

3 cm 1 mm	31 mm
270 mm	27 cm
80 mm	8 cm

✣ • 3 cm 1 mm = 30 mm + 1 mm = 31 mm
• 270 mm = 27 cm
• 80 mm = 8 cm

03 자를 사용하여 주어진 길이를 그어 보세요.

(1) 8 mm →

(2) 5 cm 3 mm →

04 크레파스의 길이는 몇 mm인지 써 보세요.

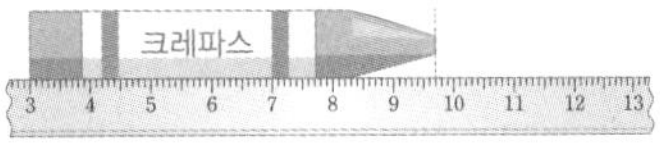

(67 mm)

✣ 크레파스의 길이는 1 cm가 6번, 1 mm가 7번이므로 6 cm 7 mm = 67 mm입니다.

정답과 풀이 p.4

개념 2 1 m보다 큰 단위

05 □ 안에 알맞은 수를 써넣으세요.

(1) 2 km보다 840 m 더 먼 거리 → 2 km 840 m

(2) 7 km보다 605 m 더 먼 거리 → 7 km 605 m

✣ • 5 km 200 m = 5000 m + 200 m = 5200 m
• 6 km 70 m = 6000 m + 70 m = 6070 m

06 같은 길이끼리 선으로 이어 보세요.

5 km 200 m	5200 m
6 km 70 m	6070 m
1 km 750 m	1750 m

• 1 km 750 m = 1000 m + 750 m = 1750 m

07 수직선을 보고 □ 안에 알맞은 수를 써넣으세요.

✣ 1 km를 10칸으로 똑같이 나눈 작은 눈금 한 칸의 길이는 100 m입니다.

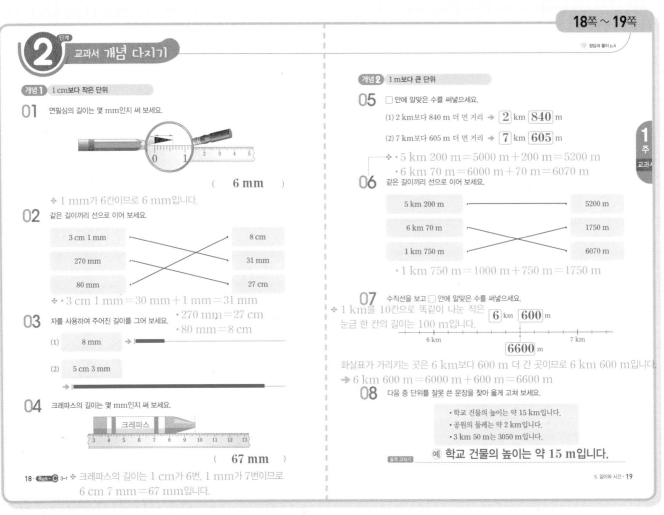

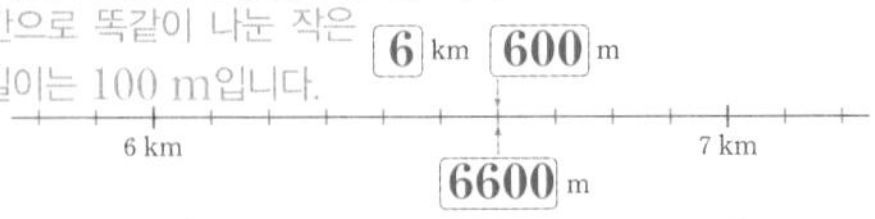
6 km 600 m
6 km
7 km
6600 m

화살표가 가리키는 곳은 6 km보다 600 m 더 간 곳이므로 6 km 600 m입니다.
→ 6 km 600 m = 6000 m + 600 m = 6600 m

08 다음 중 단위를 잘못 쓴 문장을 찾아 옳게 고쳐 보세요.

• 학교 건물의 높이는 약 15 km입니다.
• 공원의 둘레는 약 2 km입니다.
• 3 km 50 m는 3050 m입니다.

옳게 고치기 예) 학교 건물의 높이는 약 15 m입니다.

② 단계 교과서 개념 다지기

정답과 풀이 p.5

개념 3 길이와 거리를 어림하고 재기

09 알맞은 길이를 찾아 ○표 하세요.

(1) 운동화 긴 쪽의 길이는
약 (22 mm , ㉒㉒cm)입니다.

(2) 산의 높이는 약 (1 km , 1 m)입니다.

10 보기 에서 알맞은 길이를 골라 문장을 완성해 보세요.

보기
15 mm   3 m 10 cm   2 km 300 m

(1) 칠판의 긴 쪽 길이는 약 **3 m 10 cm** 입니다.

(2) 우리 집에서 영화관까지의 거리는 약 **2 km 300 m** 입니다.

11 학교에서 약 900 m 떨어진 곳에는 어떤 장소가 있는지 써 보세요.

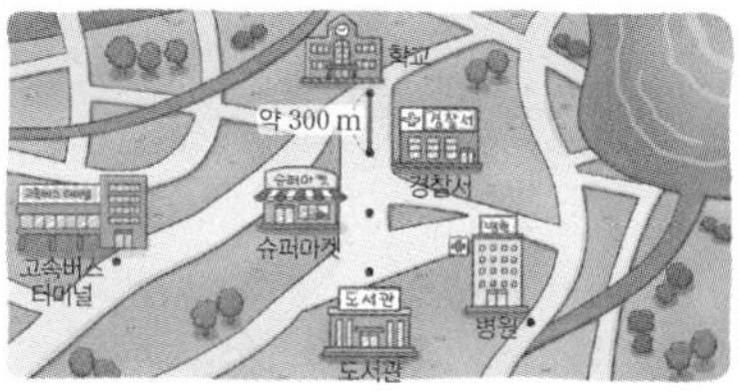

(**도서관**)

20 · Run-C 3-1 ✜ 900 m는 300 m의 3배이므로 학교에서 경찰서까지의 거리의
3배인 곳을 찾으면 도서관입니다.

개념 4 1분보다 작은 단위

12 같은 시간끼리 선으로 이어 보세요.

2분 15초		190초
1분 30초		90초
3분 10초		135초

✜ · 2분 15초=120초+15초=135초
　· 1분 30초=60초+30초=90초
　· 3분 10초=180초+10초=190초

13 시각을 읽어 보세요.

(1) **1**시 **35**분 **45**초

(2) 8:28:55
8시 **28**분 **55**초

✜ (1) 초바늘이 숫자 9를 가리키므로 45초입니다.
(2) 8:28:55 → 8시 28분 55초
　　시 분 초

14 보기 와 같이 □ 안에 알맞은 시간의 단위를 써넣으세요.

보기
저녁 식사를 하는 시간: 30 **분**

(1) 횡단보도에서 초록색 신호등이 켜져 있는 시간: 20 **초**

(2) 하루에 학교에서 생활하는 시간: 5 **시간**

(3) 피아노 학원에서 피아노를 배우는 시간: 60 **분**

5. 길이와 시간 · 21

---

② 단계 교과서 개념 다지기

정답과 풀이 p.5

개념 5 시간의 덧셈

15 □ 안에 알맞은 수를 써넣으세요.

+3분 48초

10분 34초 → **14** 분 **22** 초

✜
　　10분 34초
　+　3분 48초
　　14분 22초

16 보람이는 1시 15분+5분 30초를 다음과 같이 잘못 계산했습니다. 옳게 고쳐 보세요.

　1시 15분
+　5분 30초
　6시 45분
→
　　1시 15분
+　　5분 30초
　　1시 20분 30초

✜ 시는 시끼리, 분은 분끼리, 초는 초끼리 더해야 합니다.

17 정호는 운동을 3시 20분에 시작하여 1시간 30분 동안 했습니다. 정호가 운동을 끝낸 시각은 몇 시 몇 분인지 구해 보세요.

(**4시 50분**)

✜ (운동을 끝낸 시각)=(시작한 시각)+(운동한 시간)
　　　　　　=3시 20분+1시간 30분=4시 50분

18 오른쪽 시계가 나타내는 시각에서 3분 30초 후의 시각은 몇 시 몇 분 몇 초인지 구해 보세요.

✜ 시계가 나타내는 시각은 6시 22분 50초입니다.

(**6시 26분 20초**)

22 · Run-C 3-1
　　　　1
　6시 22분 50초
+　　　3분 30초
　6시 26분 20초

개념 6 시간의 뺄셈

19 □ 안에 알맞은 수를 써넣으세요.

−12분 35초

24분 55초 → **12** 분 **20** 초

✜
　　24분 55초
−　12분 35초
　　12분 20초

20 4시−2시간 10분을 바르게 계산한 친구를 찾아 이름을 써 보세요.

채연
　4시
−　2시간 10분
　2시 10분

홍기
　4시
−　2시간 10분
　1시 50분

(**홍기**)

✜
　　　3 60
　　4시
−　2시간 10분
　1시　50분

21 보미는 등산을 하는 데 3시간 28분 50초가 걸렸고, 승기는 3시간 20분 45초가 걸렸습니다. 보미는 승기보다 등산하는 데 몇 분 몇 초 더 오래 걸렸는지 구해 보세요.

(**8분 5초**)

✜ (보미가 등산한 시간)−(승기가 등산한 시간)
　　=3시간 28분 50초−3시간 20분 45초=8분 5초

22 뮤지컬 공연을 관람하기 시작한 시작과 끝낸 시각입니다. 뮤지컬 공연을 관람한 시간은 몇 시간 몇 분 몇 초인지 구해 보세요.

관람 시작 → 관람 끝

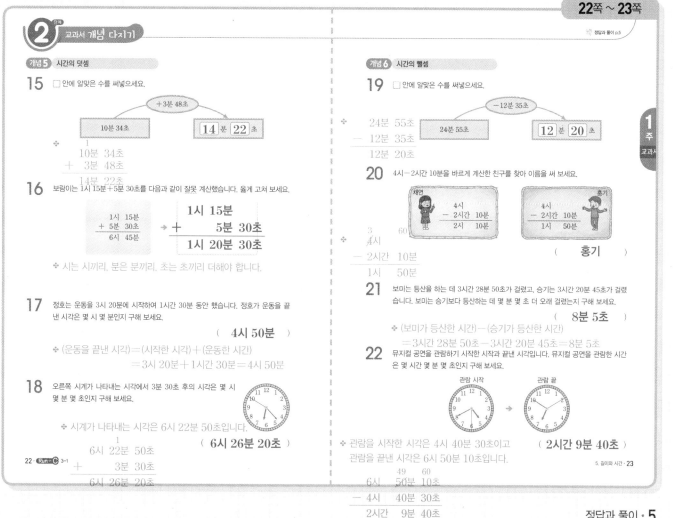

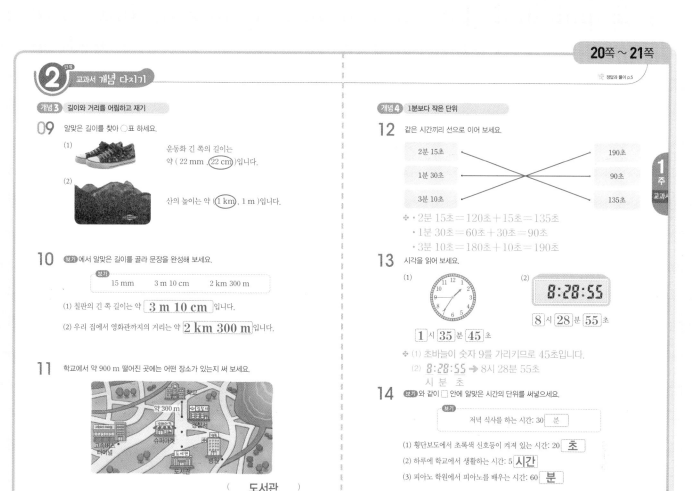

(**2시간 9분 40초**)

✜ 관람을 시작한 시각은 4시 40분 30초이고
관람을 끝낸 시각은 6시 50분 10초입니다.

　　　　49　60
　6시　50분　10초
−　4시　40분　30초
　2시간　9분　40초

24쪽 ~ 25쪽

정답과 풀이 p.6

3단계 교과서 실력 다지기

★ 단위가 다른 길이 비교하기

1 가장 긴 길이를 찾아 기호를 써 보세요.

㉠ 4600 m　㉡ 5 km 20 m
㉢ 4 km　㉣ 5007 m

답 ㉡

개념 피드백: 단위가 다른 길이는 1 cm=10 mm, 1 km=1000 m임을 이용하여 같은 단위로 나타내어 비교합니다.

✤ ㉡ 5 km 20 m=5020 m　㉢ 4 km=4000 m
➔ 5020>5007>4600>4000이므로 가장 긴 길이는 ㉡입니다.
(㉡　㉣　㉠　㉢)

1-1 가장 긴 길이를 찾아 기호를 써 보세요.

㉠ 72 mm　㉡ 7 cm 5 mm
㉢ 8 cm 7 mm　㉣ 84 mm

(㉢)

✤ ㉡ 7 cm 5 mm=75 mm
㉢ 8 cm 7 mm=87 mm
➔ 87>84>75>72이므로 가장 긴 길이는 ㉢입니다.
(㉢　㉣　㉡　㉠)

1-2 학교에서 경찰서, 우체국, 병원까지의 거리는 다음과 같습니다. 학교에서 가까운 장소부터 차례대로 써 보세요.

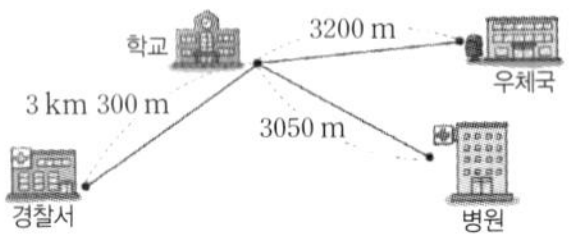

(병원, 우체국, 경찰서)

✤ 3 km 300 m=3300 m
➔ 3050<3200<3300이므로
(병원　우체국　경찰서)
학교에서 가까운 장소부터 차례대로 쓰면 병원, 우체국, 경찰서입니다.

★ 단위가 다른 시간 비교하기

2 시간이 짧은 것부터 차례대로 기호를 써 보세요.

㉠ 370초　㉡ 6분 15초
㉢ 330초　㉣ 7분 10초

답 ㉢, ㉠, ㉡, ㉣

개념 피드백: 단위가 다른 시간은 1분=60초임을 이용하여 같은 단위로 나타내어 비교합니다.

✤ ㉡ 6분 15초=360초+15초=375초 ㉣ 7분 10초=420초+10초=430초
➔ 330<370<375<430이므로 시간이 짧은 것부터 차례대로 기호를 쓰면 ㉢, ㉠, ㉡, ㉣입니다.
(㉢　㉠　㉡　㉣)

2-1 시간이 짧은 것부터 차례대로 기호를 써 보세요.

㉠ 2분 10초　㉡ 195초
㉢ 1분 57초　㉣ 115초

(㉣, ㉢, ㉠, ㉡)

✤ ㉠ 2분 10초=120초+10초=130초 ㉢ 1분 57초=60초+57초=117초
➔ 115<117<130<195이므로 시간이 짧은 것부터 차례대로 기호를 쓰면 ㉣, ㉢, ㉠, ㉡입니다.
(㉣　㉢　㉠　㉡)

2-2 영빈이네 모둠 친구들의 600 m 달리기 기록입니다. 기록이 가장 빠른 사람은 누구인지 이름을 써 보세요.

이름	기록	이름	기록
영빈	2분 42초	주호	182초
인성	170초	찬희	2분 55초

(영빈)

✤ 2분 42초=120초+42초=162초
2분 55초=120초+55초=175초
➔ 시간이 짧을수록 기록이 빠릅니다.
162<170<175<182이므로 기록이 가장 빠른 사람은 영빈입니다.
(영빈　인성　찬희　주호)

1주 교과서

26쪽 ~ 27쪽

정답과 풀이 p.6

3단계 교과서 실력 다지기

★ 시간의 덧셈과 뺄셈 알아보기

3 □ 안에 알맞은 수를 써넣으세요.

(1) [15]분 20 초 + 40 분 [10]초 = 55 분 30 초

(2) 6 시간 [45]분 − [3]시간 30 분 = 3 시간 15 분

개념 피드백
• 시간의 덧셈과 뺄셈
① 시는 시끼리, 분은 분끼리, 초는 초끼리 계산합니다.
② 초끼리나 분끼리의 합이 60이거나 60보다 크면 분이나 시간으로 받아올림하여 계산합니다.
③ 초끼리나 분끼리 뺄 수 없을 때에는 분이나 시간에서 받아내림하여 계산합니다.

✤ (1) • 20+□=30 ➔ 30−20=□, □=10
• □+40=55 ➔ 55−40=□, □=15
(2) • □−30=15 ➔ 15+30=□, □=45
• 6−□=3 ➔ 6−3=□, □=3

3-1 □ 안에 알맞은 수를 써넣으세요.

(1) 4 분 [20]초 + [2]분 25 초 = 6 분 45 초

(2) [5]시간 37 분 − 2 시간 [22]분 = 3 시간 15 분

✤ (1) • □+25=45 ➔ 45−25=□, □=20
• 4+□=6 ➔ 6−4=□, □=2
(2) • 37−□=15 ➔ 37−15=□, □=22
• □−2=3 ➔ 3+2=□, □=5

3-2 □ 안에 알맞은 수를 써넣으세요.

(1) 4 시 37 분 + [1]시간 45 분 = 6 시 [22]분

(2) 28 분 [30]초 − [25]분 50 초 = 2 분 40 초

✤ (1) • 37+45=82 ➔ 60분을 1시간으로 받아올림하면 82−60=□, □=22입니다.
• 1+4+□=6 ➔ 5+□=6, 6−5=□, □=1
(2) • 1분을 60초로 받아내림하면 60+□−50=40, 10+□=40, 40−10=□, □=30입니다.
• 28−1−□=2 ➔ 27−□=2, 27−2=□, □=25

★ 단위가 다른 길이의 덧셈과 뺄셈

4 두 길이의 합과 차는 각각 몇 cm 몇 mm인지 구해 보세요.

35 mm　4 cm 9 mm

합 (8 cm 4 mm), 차 (1 cm 4 mm)

개념 피드백: 단위가 다른 길이의 덧셈과 뺄셈은 길이의 단위 사이의 관계를 이용하여 같은 단위로 통일한 다음 계산합니다.
1 cm=10 mm　1 km=1000 m

✤ 35 mm=3 cm 5 mm

합: 3 cm 5 mm + 4 cm 9 mm = 8 cm 4 mm
차: 4 cm 9 mm − 3 cm 5 mm = 1 cm 4 mm

4-1 두 길이의 합과 차는 각각 몇 km 몇 m인지 구해 보세요.

2860 m　4 km 550 m

✤ 2860 m=2 km 860 m　합 (7 km 410 m), 차 (1 km 690 m)

합: 2 km 860 m + 4 km 550 m = 7 km 410 m
차: 4 km 550 m − 2 km 860 m = 1 km 690 m (3, 1000)

4-2 준호네 집에서 약국을 지나 마트까지의 거리는 몇 km 몇 m인지 구해 보세요.

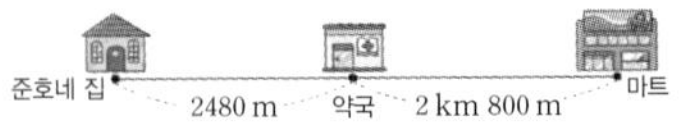

(5 km 280 m)

✤ 2480 m=2 km 480 m
➔ (준호네 집에서 약국을 지나 마트까지의 거리)
=(준호네 집에서 약국까지의 거리)+(약국에서 마트까지의 거리)
=2 km 480m+2 km 800 m=5 km 280 m

1주 교과서

③ 교과서 실력 다지기

★ 출발한 시각, 도착한 시각 구하기

5 윤주는 집에서 출발한지 1시간 20분 42초 후인 5시 36분 55초에 박물관에 도착했습니다. 윤주가 집에서 출발한 시각은 몇 시 몇 분 몇 초인지 식을 쓰고 답을 구해 보세요.

> **식** 5시 36분 55초−1시간 20분 42초=4시 16분 13초
>
> **답** 4시 16분 13초

개념 피드백
① (출발한 시각)=(도착한 시각)−(걸린 시간)
② (도착한 시각)=(출발한 시각)+(걸린 시간)

❖ (집에서 출발한 시각)=(박물관에 도착한 시각)−(걸린 시간)
　　　　　　　　　　　=5시 36분 55초−1시간 20분 42초
　　　　　　　　　　　=4시 16분 13초

5-1 형연이는 과학관에서 출발한지 2시간 15분 50초 후인 10시 48분 20초에 집에 도착했습니다. 형연이가 과학관에서 출발한 시각은 몇 시 몇 분 몇 초인지 식을 쓰고 답을 구해 보세요.

> **식** 10시 48분 20초−2시간 15분 50초=8시 32분 30초
>
> **답** 8시 32분 30초

❖ (과학관에서 출발한 시각)=(집에 도착한 시각)−(걸린 시간)
　　　　　　　　　　　　=10시 48분 20초−2시간 15분 50초
　　　　　　　　　　　　=8시 32분 30초

5-2 민재가 집에서 병원까지 가는 데 걸린 시간은 1시간 40분 16초입니다. 민재가 병원에 가려고 집에서 7시 52분 32초에 나왔다면 병원에 도착한 시각은 몇 시 몇 분 몇 초인지 식을 쓰고 답을 구해 보세요.

> **식** 7시 52분 32초+1시간 40분 16초=9시 32분 48초
>
> **답** 9시 32분 48초

❖ (병원에 도착한 시각)=(집에서 출발한 시각)+(걸린 시간)
　　　　　　　　　　=7시 52분 32초+1시간 40분 16초
　　　　　　　　　　=9시 32분 48초

28 · Run-C 3-1

따라서 서울에서 부산까지 가는 데 ㉯ 기차가 더 오래 걸립니다.

★ 걸리는 시간 구하기

6 기차를 타고 서울에서 부산까지 가려고 합니다. ㉮ 기차와 ㉯ 기차의 기차표를 보고 서울에서 부산까지 가는 데 어느 기차가 더 오래 걸리는지 구해 보세요.

> **답** ㉯ 기차

개념 피드백
① (걸린 시간)=(도착한 시각)−(출발한 시각)
② 시간의 뺄셈에서 (시각)−(시각)=(시간)입니다.

6-1 윤아와 현지 중에서 누가 더 오래 통화를 했는지 써 보세요.

이름	통화 시작 시각	통화 종료 시각
윤아	9시 5분 25초	9시 9분 30초
현지	10시 17분 20초	10시 22분 8초

❖ 윤아: 9시 9분 30초−9시 5분 25초=4분 5초　　（　**현지**　）
　 현지: 10시 22분 8초−10시 17분 20초=4분 48초
　 따라서 현지가 더 오래 통화를 했습니다.

6-2 축구 경기와 야구 경기를 시작한 시각과 끝낸 시각입니다. 축구와 야구 중 어느 것이 몇 분 몇 초 더 오래 경기를 했는지 차례로 써 보세요.

축구 시작　　축구 끝　　야구 시작　　야구 끝

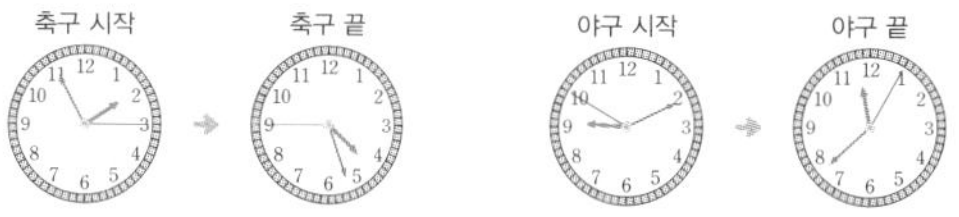

（　**축구**　）.（　**4분 15초**　）

❖ (축구 경기 시간)=4시 26분 45초−1시 55분 15초=2시간 31분 30초
　 (야구 경기 시간)=11시 38분 5초−9시 10분 50초=2시간 27분 15초
　 따라서 축구가 2시간 31분 30초−2시간 27분 15초=4분 15초 더 오래 경기를 했습니다.

5. 길이와 시간 · 29

Test 교과서 서술형 연습

❖ 정답과 풀이 p.7

1 두 연필의 길이의 차는 몇 mm인지 구해 보세요.

✎ 구하려는 것, 주어진 것에 선을 그어 봅니다.

해결하기 ㉮ 연필의 길이는 **5** cm **4** mm이고
㉯ 연필의 길이는 **4** cm **7** mm입니다.
따라서 두 연필의 길이의 차는
5 cm **4** mm−**4** cm **7** mm=**7** mm입니다.

답 구하기 **7 mm**

2 두 크레파스의 길이의 차는 몇 mm인지 구해 보세요.

주어진 것　　구하려는 것

㉮ 크레파스　　㉯ 크레파스

✎ 구하려는 것, 주어진 것에 선을 그어 봅니다.

해결하기 **예** ㉮ 크레파스의 길이는 4 cm 9 mm이고
㉯ 크레파스의 길이는 5 cm 5 mm입니다.
따라서 두 크레파스의 길이의 차는
5 cm 5 mm−4 cm 9 mm=6 mm입니다.

답 구하기 **6 mm**

3 우성이가 운동을 시작한 시각과 끝낸 시각입니다. 우성이가 운동을 한 시간은 몇 시간 몇 분 몇 초인지 구해 보세요.

운동 시작　→　운동 끝

✎ 구하려는 것, 주어진 것에 선을 그어 봅니다.

해결하기 운동을 시작한 시각은 **4** 시 **25** 분 **30** 초이고
운동을 끝낸 시각은 **6** 시 **10** 분 **45** 초입니다.
따라서 우성이가 운동을 한 시간은
6 시 **10** 분 **45** 초−**4** 시 **25** 분 **30** 초
=**1** 시간 **45** 분 **15** 초입니다.

답 구하기 **1시간 45분 15초**

4 건우가 수학 공부를 시작한 시각과 끝낸 시각입니다. 건우가 수학 공부를 한 시간은 몇 시간 몇 분 몇 초인지 구해 보세요.

주어진 것
구하려는 것

공부 시작　→　공부 끝

✎ 구하려는 것, 주어진 것에 선을 그어 봅니다.

해결하기 **예** 수학 공부를 시작한 시각은 3시 10분 25초이고
수학 공부를 끝낸 시각은 5시 25분 10초입니다.
따라서 건우가 수학 공부를 한 시간은
5시 25분 10초−3시 10분 25초=2시간 14분 45초입니다.

답 구하기 **2시간 14분 45초**

30 · Run-C 3-1

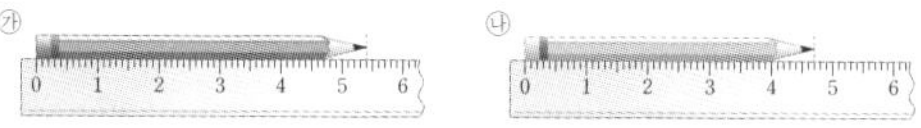

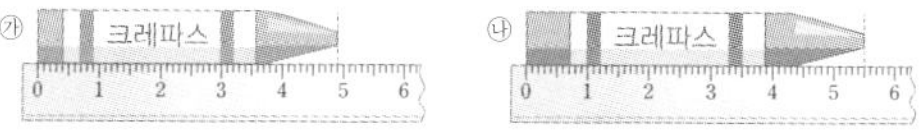

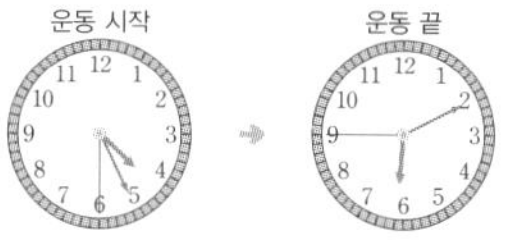

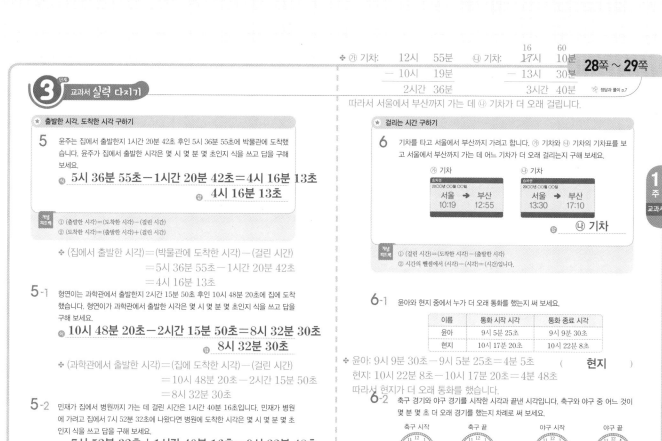

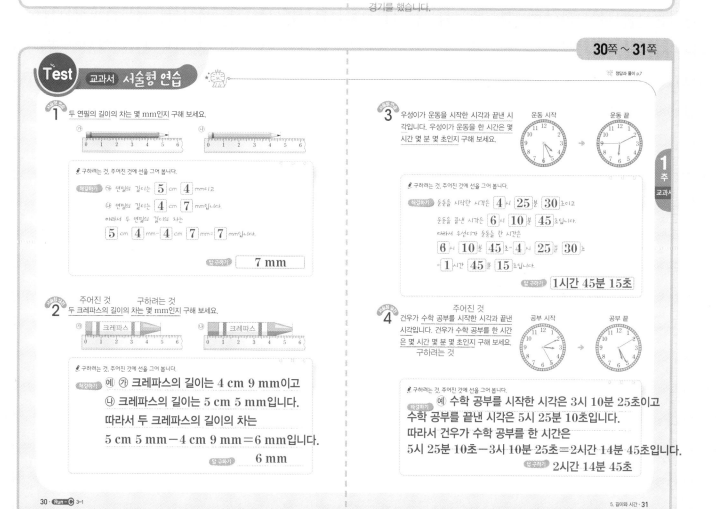

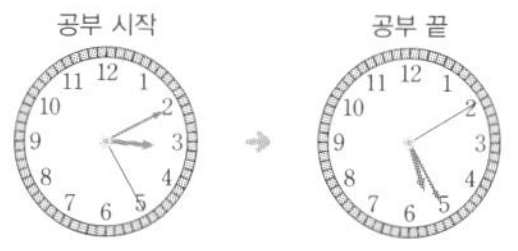

PLAY 사고력 개념 스토리 새 양초로 진열하기

얼마 동안 타고 남은 양초의 길이를 재었더니 다음과 같았습니다. 처음 양초의 길이를 알아보고, 처음 양초를 찾아 타고 남은 양초 위에 붙여서 새 것으로 진열해 보세요.

탄 양초: 2 mm × 6 = 12 mm = 1 cm 2 mm

8 cm 5 mm

1분에 2 mm씩
6분 동안 타고
남은 양초

1분에 5 mm씩
4분 동안 타고
남은 양초

6 cm 4 mm

✿ 처음 양초: 7 cm 3 mm + 1 cm 2 mm
= 8 cm 5 mm

9 cm 1 mm

15 cm 4 mm

1분에 8 mm씩
2분 동안 타고
남은 양초

1분에 3 mm씩
8분 동안 타고
남은 양초

9 cm 3 mm

14 cm

1분에 4 mm씩
9분 동안 타고
남은 양초

1분에 6 mm씩
3분 동안 타고
남은 양초

10 cm 6 mm

1분에 4 mm씩
5분 동안 타고
남은 양초

1분에 3 mm씩
3분 동안 타고
남은 양초

6 cm 6 mm

11 cm 6 mm

1분에 9 mm씩
2분 동안 타고
남은 양초

탄 양초: 9 mm × 2 = 18 mm = 1 cm 8 mm
✿ 처음 양초: 4 cm 8 mm + 1 cm 8 mm = 6 cm 6 mm

11 cm

1분에 5 mm씩
5분 동안 타고
남은 양초

16 cm 7 mm

12 cm 2 mm

1분에 7 mm씩
4분 동안 타고
남은 양초

1분에 6 mm씩
8분 동안 타고
남은 양초

PLAY 사고력 개념 스토리 기차표 찾기

걸리는 시간이 다음과 같은 기차표를 찾아 시간 위에 붙여 보세요.

승차권 20○○년 ○○월 ○○일	승차권 20○○년 ○○월 ○○일	승차권 20○○년 ○○월 ○○일	승차권 20○○년 ○○월 ○○일
전주 → 용산 09:20 10:50	수원 → 남원 11:50 15:15	대전 → 대구 07:45 09:25	서울 → 진주 12:55 16:25

✿ 기차표를 보고 걸리는 시간을 구해 봅니다.

승차권 20○○년 ○○월 ○○일	승차권 20○○년 ○○월 ○○일	승차권 20○○년 ○○월 ○○일	승차권 20○○년 ○○월 ○○일
천안 → 익산 07:00 09:00	대구 → 부산 10:35 11:55	광주 → 평택 13:10 16:50	목포 → 서울 09:45 12:15

승차권 20○○년 ○○월 ○○일	승차권 20○○년 ○○월 ○○일	승차권 20○○년 ○○월 ○○일
강릉 → 청량리 12:10 17:50	서울 → 대구 12:50 16:10	서대전 → 목포 07:30 10:15

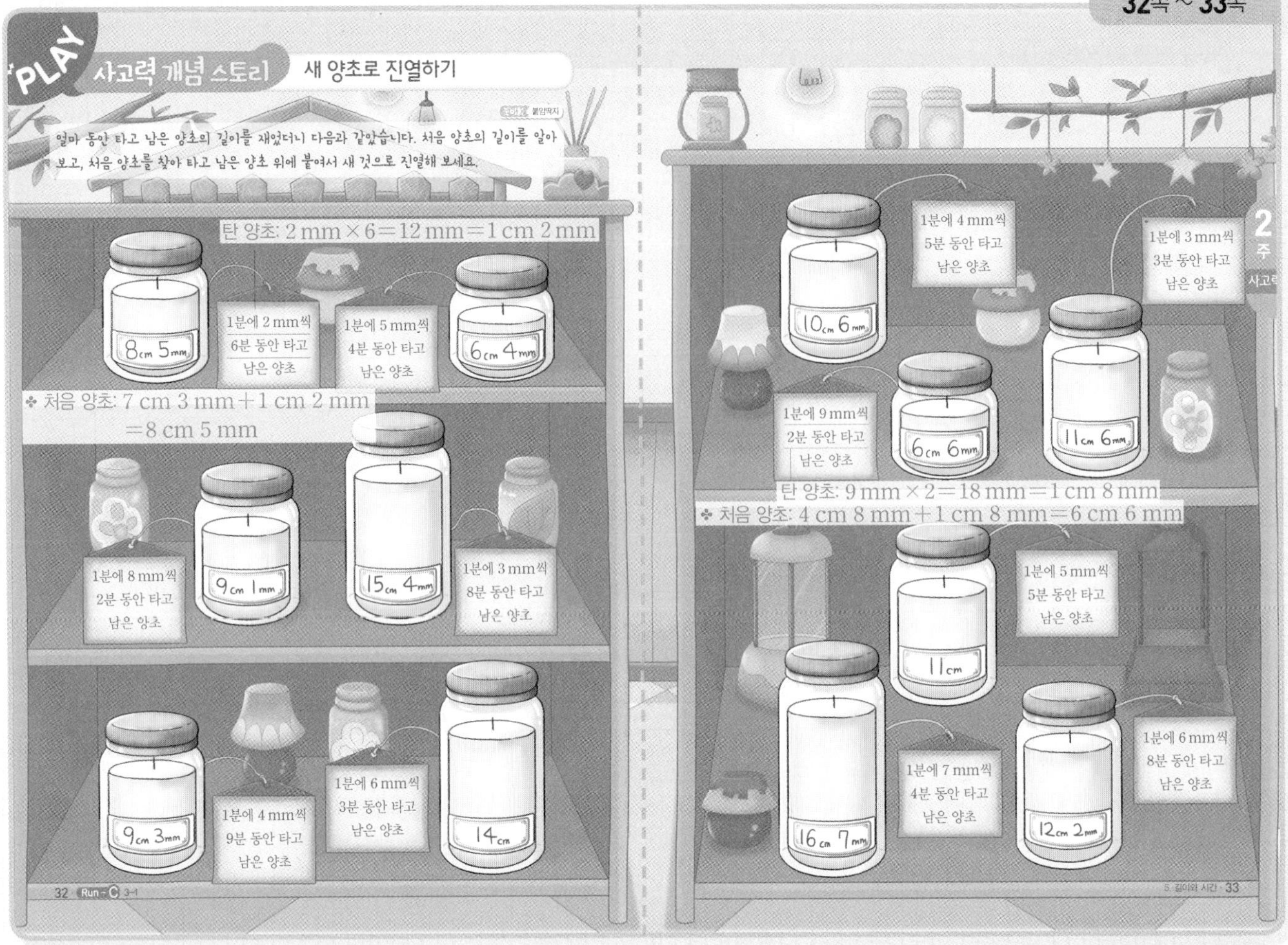

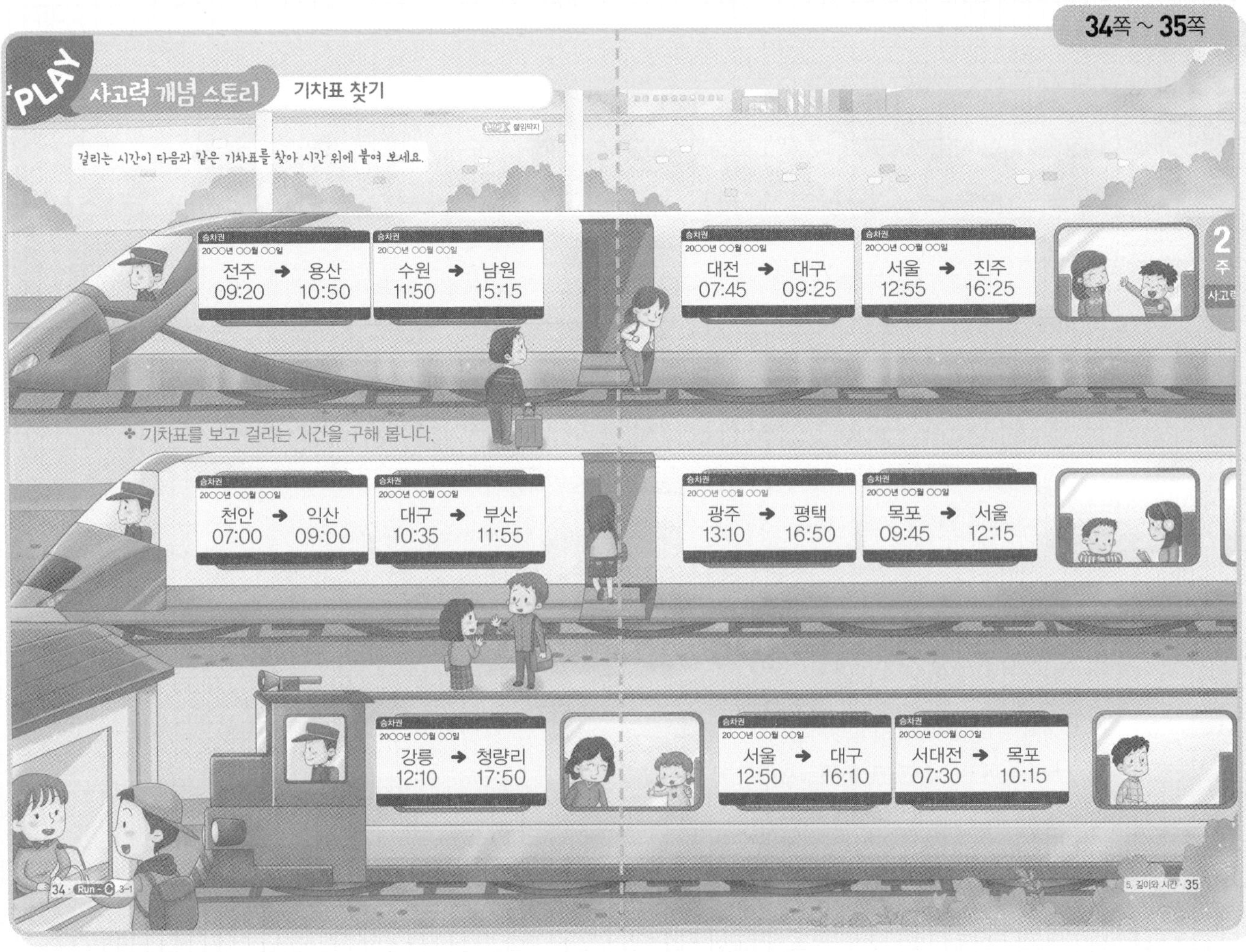

1단계 교과 사고력 잡기

정답과 풀이 p.9

1 **주아의 한 걸음은 약 50 cm입니다. 주아가 1 km를 가려면 몇 걸음을 걸어야 하는지 구해 보세요.**

① 주아의 2걸음은 약 몇 m일까요?

약 (**1 m**)

✤ 50 cm＋50 cm＝100 cm이므로 2걸음은 약 1 m입니다.

② 1 km는 1 m가 몇 개일까요?

(**1000개**)

✤ 1 km＝1000 m이므로 1 km는 1 m가 1000개입니다.

③ 주아가 1 km를 가려면 몇 걸음을 걸어야 하는지 구해 보세요.

(**2000걸음**)

✤ 1 m를 가려면 2걸음을 걸어야 하므로 1 km(＝1000 m)를 가려면 2000걸음을 걸어야 합니다.

2 **현재 위치에서 보물 상자가 있는 곳까지 가려고 합니다. ㉮, ㉯, ㉰ 중 가장 짧은 길은 어느 길인지 구해 보세요.**

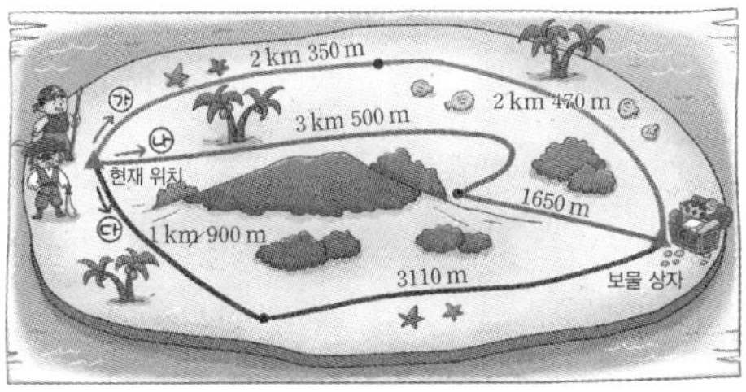

① ㉮ 길로 가는 거리는 몇 km 몇 m일까요?

(**4 km 820 m**)

✤ 2 km 350 m＋2 km 470 m＝4 km 820 m

② ㉯ 길로 가는 거리는 몇 km 몇 m일까요?

(**5 km 150 m**)

✤ 3 km 500 m＋1650 m＝3 km 500 m＋1 km 650 m
＝5 km 150 m

③ ㉰ 길로 가는 거리는 몇 km 몇 m일까요?

(**5 km 10 m**)

✤ 1 km 900 m＋3110 m＝1 km 900 m＋3 km 110 m
＝5 km 10 m

④ ㉮, ㉯, ㉰ 중 가장 짧은 길은 어느 길인지 구해 보세요.

(㉮)

✤ 4 km 820 m＜5 km 10 m＜5 km 150 m이므로 가장 짧은 길은 ㉮입니다.

2주 사고력

1단계 교과 사고력 잡기

정답과 풀이 p.9

3 **준호와 승기가 공부한 시간을 나타낸 표가 물에 젖어 일부가 보이지 않습니다. 누가 공부를 더 오래 했는지 구해 보세요. (단, 준호와 승기는 쉬지않고 공부를 했습니다.)**

준호가 공부한 시간

시작 시각	10시
국어 공부 시간	35분 50초
영어 공부 시간	1시간 5분 10초
수학 공부 시간	1시간 7분 45초
끝낸 시각	

승기가 공부한 시간

시작 시각	8시 30분
국어 공부 시간	40분 25초
영어 공부 시간	
수학 공부 시간	1시간 15분 20초
끝낸 시각	11시 10분 20초

① 준호가 공부한 시간은 모두 몇 시간 몇 분 몇 초일까요?

(**2시간 48분 45초**)

✤ 국어, 영어, 수학 공부 시간을 모두 더합니다.
35분 50초＋1시간 5분 10초＝1시간 41분,
1시간 41분＋1시간 7분 45초＝2시간 48분 45초

② 승기가 공부한 시간은 모두 몇 시간 몇 분 몇 초일까요?

(**2시간 40분 20초**)

✤ (공부한 시간)＝(끝낸 시각)－(시작 시각)
＝11시 10분 20초－8시 30분
＝2시간 40분 20초

③ 준호와 승기 중 누가 공부를 더 오래 했는지 구해 보세요.

(**준호**)

✤ 2시간 48분 45초＞2시간 40분 20초이므로 준호가 공부를 더 오래 했습니다.

4 **현재 시각은 오전 11시 40분이고 마술 공연 시작 시각은 오후 2시 15분입니다. 명준이네 가족은 마술 공연이 시작하기 전에 다녀올 곳을 정하려고 합니다. 몇 번 코스가 알맞은지 모두 구해 보세요.**

	일정	소요 시간
①번 코스	집 → 박물관 → 공원 → 공연장	190분
②번 코스	집 → 수족관 → 전망대 → 공연장	150분
③번 코스	집 → 유람선 → 미술관 → 공연장	2시간 40분
④번 코스	집 → 전망대 → 과학관 → 공연장	2시간 15분

① 마술 공연이 시작하기 전까지 남은 시간은 몇 시간 몇 분일까요?

(**2시간 35분**)

✤ 오후 2시 15분은 14시 15분입니다.
→ (남은 시간)＝14시 15분－11시 40분＝2시간 35분

② ①번 코스와 ②번 코스 일정의 소요 시간은 몇 시간 몇 분인지 각각 구해 보세요.

①번 코스 (**3시간 10분**)
②번 코스 (**2시간 30분**)

✤ ①번 코스: 190분＝180분＋10분＝3시간＋10분＝3시간 10분
②번 코스: 150분＝120분＋30분＝2시간＋30분＝2시간 30분

③ 마술 공연이 시작하기 전에 다녀올 곳으로 알맞은 코스를 모두 찾아 써 보세요.

②번 코스, ④번 코스

✤ 소요 시간이 2시간 35분보다 더 걸리면 안 되므로 알맞은 코스는 ②번 코스와 ④번 코스입니다.

2주 사고력

정답과 풀이 p.10

2단계 교과 사고력 확장

1 전자 시계의 각 버튼을 한 번 누를 때마다 다음과 같이 시각이 바뀝니다. 빈 곳에 알맞은 시각을 나타내어 보세요.

❶

✤ 빨간 버튼을 1번, 파란 버튼을 2번 누르면 1시간 10분 후가 됩니다.
5시 25분 40초 + 1시간 10분 = 6시 35분 40초

❷
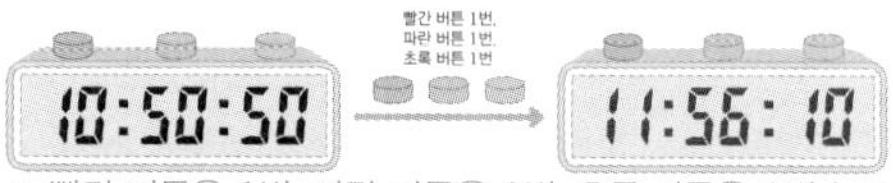

✤ 빨간 버튼을 1번, 파란 버튼을 1번, 초록 버튼을 1번 누르면 1시간 5분 20초 후가 됩니다.
10시 50분 50초 + 1시간 5분 20초 = 11시 56분 10초

❸

✤ 파란 버튼을 1번, 초록 버튼을 2번 누르면 5분 40초 후가 됩니다.
따라서 2시 35분 15초의 5분 40초 전의 시각을 구합니다.

	34	60
2시	~~35~~분	15초
−	5분	40초
2시	29분	35초

2 ㉠에서 ㉡까지의 거리는 몇 km 몇 m인지 구해 보세요.

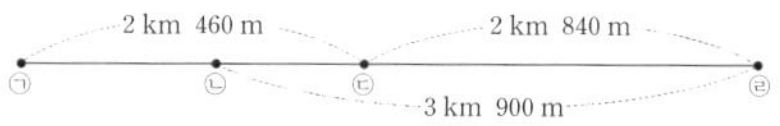

(**1 km 400 m**)

✤ (㉠~㉡) = (㉠~㉢) + (㉡~㉣) − (㉡~㉣)
= 2 km 460 m + 2 km 840 m − 3 km 900 m
= 5 km 300 m − 3 km 900 m
= 1 km 400 m

3 ㉠에서 ㉣까지의 거리는 몇 km 몇 m인지 구해 보세요.

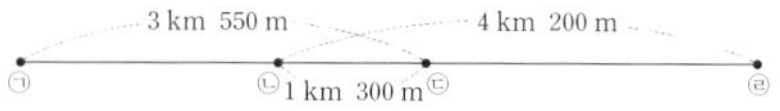

(**6 km 450 m**)

✤ (㉠~㉣) = (㉠~㉢) + (㉡~㉣) − (㉡~㉢)
= 3 km 550 m + 4 km 200 m − 1 km 300 m
= 7 km 750 m − 1 km 300 m
= 6 km 450 m

4 ㉡에서 ㉢까지의 거리는 몇 km 몇 m인지 구해 보세요.

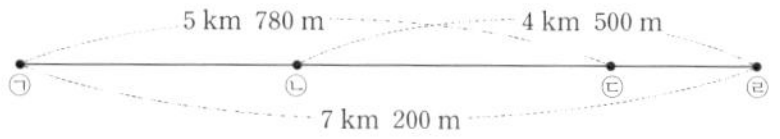

(**3 km 80 m**)

✤ (㉡~㉢) = (㉠~㉢) + (㉡~㉣) − (㉠~㉣)
= 5 km 780 m + 4 km 500 m − 7 km 200 m
= 10 km 280 m − 7 km 200 m
= 3 km 80 m

정답과 풀이 p.10

2단계 교과 사고력 확장

5 거울에 비친 시계의 모습입니다. 빈칸에 알맞은 시각을 써 보세요.

❶

1시간 45분 후 → **6시 15분 45초**

✤ 시계가 가리키는 시각은 4시 30분 45초입니다.
➔ 4시 30분 45초 + 1시간 45분 = 6시 15분 45초

❷
8시 10분 25초 ← 2시간 15분 50초 전

✤ 시계가 가리키는 시각은 10시 26분 15초입니다.
➔ 10시 26분 15초 − 2시간 15분 50초 = 8시 10분 25초

❸

3시간 15분 30초 후 → **5시 53분 5초**

✤ 시계가 가리키는 시각은 2시 37분 35초입니다.
➔ 2시 37분 35초 + 3시간 15분 30초 = 5시 53분 5초

6 똑같은 직사각형 12개를 겹치지 않게 붙여서 만든 도형입니다. 검은색 선의 길이는 몇 cm 몇 mm인지 구해 보세요.

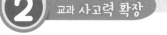

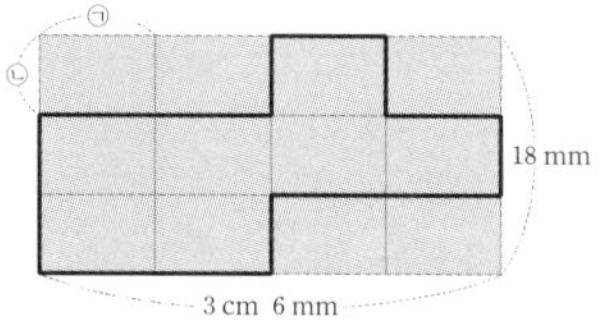

❶ ㉠의 길이는 몇 mm일까요?

(**9 mm**)

✤ 3 cm 6 mm = 36 mm이고 ㉠ × 4 = 36 mm이므로 ㉠ = 9 mm입니다.

❷ ㉡의 길이는 몇 mm일까요?

(**6 mm**)

✤ ㉡ × 3 = 18 mm이므로 ㉡ = 6 mm입니다.

❸ 검은색 선의 길이는 몇 cm 몇 mm인지 구해 보세요.

(**10 cm 8 mm**)

✤ 검은색 선은 9 mm인 선분이 8개, 6 mm인 선분이 6개입니다.
➔ 9 × 8 = 72 (mm), 6 × 6 = 36 (mm)이므로 검은색 선의 길이는 72 mm + 36 mm = 108 mm = 10 cm 8 mm입니다.

3단계 교과 사고력 완성

정답과 풀이 p.11

평가 영역 ☑개념 이해력 □개념 응용력 □창의력 □문제 해결력

1 철인 3종 경기는 수영, 사이클, 마라톤을 한 사람이 쉬지 않고 완주하는 경기입니다. 전체 거리가 226 km 295 m일 때 사이클은 몇 km 몇 m인지 구해 보세요.

수영 + 사이클 + 마라톤

3900 m　?　42 km 195 m

(180 km 200 m)

✤ 3900 m＝3 km 900 m
(수영)＋(마라톤)＝3 km 900 m＋42 km 195 m＝46 km 95 m
➔ (사이클)＝(전체 거리)－(수영과 마라톤의 거리)
＝226 km 295 m－46 km 95 m＝180 km 200 m

평가 영역 □개념 이해력 □개념 응용력 □창의력 ☑문제 해결력

2 예은이네 학교에서는 1교시 수업을 9시 10분에 시작하여 40분씩 수업을 하고 10분씩 쉽니다. 4교시 수업이 끝나는 시각은 몇 시 몇 분인지 구해 보세요.

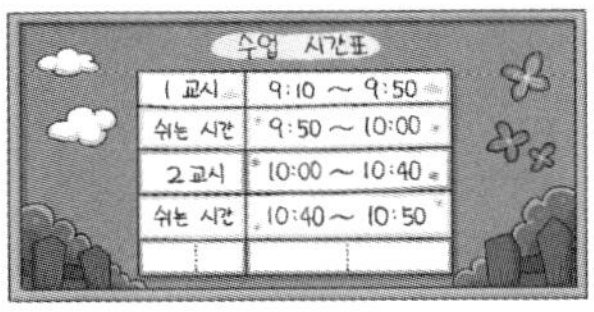
수업 시간표
1교시 9:10 ~ 9:50
쉬는 시간 9:50 ~ 10:00
2교시 10:00 ~ 10:40
쉬는 시간 10:40 ~ 10:50

(12시 20분)

✤ 3교시는 10시 50분에 시작하여 10시 50분＋40분＝11시 30분에 끝납니다.
쉬는 시간은 11시 30분에 시작하여 11시 30분＋10분＝11시 40분에 끝납니다.
4교시는 11시 40분에 시작하여 11시 40분＋40분＝12시 20분에 끝납니다.
➔ 따라서 4교시 수업이 끝나는 시각은 12시 20분입니다.

평가 영역 □개념 이해력 ☑개념 응용력 □창의력 □문제 해결력

3 길이가 18 cm 6 mm인 색 테이프 5장을 다음과 같이 15 mm씩 겹치게 이어 붙였습니다. 이어 붙인 색 테이프 전체의 길이는 몇 cm인지 구해 보세요.

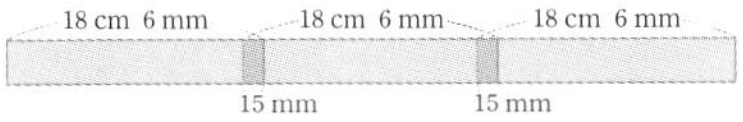
18 cm 6 mm
18 cm 6 mm
18 cm 6 mm
15 mm
15 mm

(87 cm)

✤ (색 테이프 5장의 길이의 합)
＝18 cm 6 mm＋18 cm 6 mm＋18 cm 6 mm
＋18 cm 6 mm＋18 cm 6 mm
＝186 mm × 5＝930 mm＝93 cm
(겹친 부분의 길이의 합)＝15 mm＋15 mm＋15 mm＋15 mm
＝15 mm × 4＝60 mm＝6 cm
➔ (이어 붙인 색 테이프 전체의 길이)
＝(색 테이프 5장의 길이의 합)－(겹친 부분의 길이의 합)
＝93 cm－6 cm＝87 cm

평가 영역 □개념 이해력 □개념 응용력 ☑창의력 □문제 해결력

4 어느 날 해가 뜬 시각은 오전 5시 12분 35초이고, 해가 진 시각은 오후 6시 30분 55초입니다. 이날 밤의 길이는 몇 시간 몇 분 몇 초인지 구해 보세요.

오전 5시 12분 35초　오후 6시 30분 55초

(10시간 41분 40초)

✤ 오후 6시 30분 55초＝18시 30분 55초
(낮의 길이)＝18시 30분 55초－5시 12분 35초＝13시간 18분 20초
하루는 24시간입니다.
➔ (밤의 길이)＝24시간－(낮의 길이)
＝24시간－13시간 18분 20초＝10시간 41분 40초

2주 사고력

Test 종합평가　5. 길이와 시간

맞은 개수

정답과 풀이 p.11

1 연필의 길이는 몇 cm 몇 mm인지 써 보세요.

(6 cm 5 mm)

✤ 연필의 길이는 6 cm보다 5 mm 더 길므로 6 cm 5 mm입니다.

2 □ 안에 알맞은 수를 써넣으세요.

(1) 80 mm＝[8] cm　(2) 4 km＝[4000] m

(3) 7 cm 2 mm＝[72] mm　(4) 3800 m＝[3] km [800] m

✤ 1 cm＝10 mm, 1 km＝1000 m입니다.

3 시각을 읽어 보세요.

(1) 

(4시 52분 35초)

(2) 
10:28:39

(10시 28분 39초)

4 계산해 보세요.

(1) 8분 30초 ＋ 2분 10초 ＝ 10분 40초

(2) 10분 47초 － 6분 28초 ＝ 4분 19초

✤ 분은 분끼리, 초는 초끼리 계산합니다.

5 수직선을 보고 □ 안에 알맞은 수를 써넣으세요.

[3] km [700] m

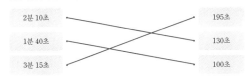

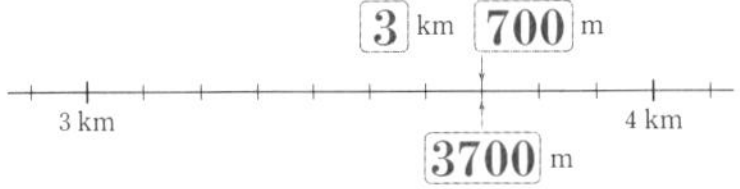
3 km
4 km

[3700] m

✤ 1 km를 10칸으로 나누었으므로 작은 눈금 한 칸의 길이는 100 m입니다.
3 km보다 700 m 더 긴 길이는 3 km 700 m＝3700 m입니다.

6 길이를 비교하여 ○ 안에 >, ＝, <를 알맞게 써넣으세요.

(1) 8300 m (<) 8 km 450 m

(2) 4 km 600 m (>) 4060 m

✤ (1) 8 km 450 m＝8450 m ➔ 8300 m＜8450 m
(2) 4 km 600 m＝4600 m ➔ 4600 m＞4060 m

7 같은 시간끼리 선으로 이어 보세요.

2분 10초	195초
1분 40초	130초
3분 15초	100초

(2분 10초 — 130초, 1분 40초 — 100초, 3분 15초 — 195초)

✤ • 2분 10초＝120초＋10초＝130초
• 1분 40초＝60초＋40초＝100초
• 3분 15초＝180초＋15초＝195초

8 옳은 문장을 찾아 ○표 하세요.

• 수학 익힘책의 두께는 약 7 cm입니다. (　)
• 혜미의 키는 약 130 cm입니다. (○)
• 우리 집 현관 문의 높이는 약 2 km입니다. (　)

✤ • 수학 익힘책의 두께는 약 7 mm입니다.
• 우리 집 현관 문의 높이는 약 2 m입니다.

2주 평가

Test 종합평가 5. 길이와 시간

정답과 풀이 p.12

9 전자 시계가 나타내는 시각과 같게 오른쪽 시계에 초바늘을 그려 넣으세요.

✿ 전자 시계가 나타내는 시각은 10시 20분 45초입니다.
45초는 초바늘이 9를 가리키게 그립니다.

10 ☐ 안에 m와 km 중 알맞은 단위를 써넣으세요.

(1) 지리산의 높이는 약 2 **km** 입니다.

(2) 교실 칠판의 긴 쪽의 길이는 약 8 **m** 입니다.

11 계산이 잘못된 곳을 찾아 옳게 고쳐 보세요.

$$\begin{array}{r} 3시\quad47분 \\ +\ 2시간\ 30분 \\ \hline 5시간\ 17분 \end{array} \rightarrow \boxed{\begin{array}{r} (예)\ 3시\quad47분 \\ +\ 2시간\ 30분 \\ \hline 6시\quad17분 \end{array}}$$

✿ 분끼리의 계산에서 60분을 1시간으로
받아올림한 것을 시끼리의 계산에서 더하지 않았습니다.
또, (시각)+(시간)=(시각)인데 (시간)으로 잘못 썼습니다.

12 ☐ 안에 알맞은 수를 써넣으세요.

(1) 6 cm 5 mm+22 mm=**87** mm

(2) 172 mm−8 cm 1 mm=**9** cm **1** mm

(3) 5 km 200 m+2750 m=**7** km **950** m

(4) 8500 m−4 km 200 m=**4300** m

✿ (1) 6 cm 5 mm=65 mm ➜ 65 mm+22 mm=87 mm
(2) 172 mm=17 cm 2 mm ➜ 17 cm 2 mm−8 cm 1 mm=9 cm 1 mm
(3) 2750 m=2 km 750 m ➜ 5 km 200 m+2 km 750 m=7 km 950 m
(4) 4 km 200 m=4200 m ➜ 8500 m−4200 m=4300 m

48 · Run - C 3-1

13 ☐ 안에 알맞은 수를 써넣으세요.

✿ ・초 단위의 계산: ☐+43=22+60
➜ ☐+43=82, 82−43=☐, ☐=39
・분 단위의 계산: 1+29+☐=46
➜ 30+☐=46, 46−30=☐, ☐=16

$$\begin{array}{r} 29\ 분\ \boxed{39}\ 초 \\ +\ \boxed{16}\ 분\ 43\ 초 \\ \hline 46\ 분\ 22\ 초 \end{array}$$

14 학교와 병원 중 공원에서 더 가까운 곳은 어디이고, 몇 m 더 가까운지 차례로 써 보
세요.

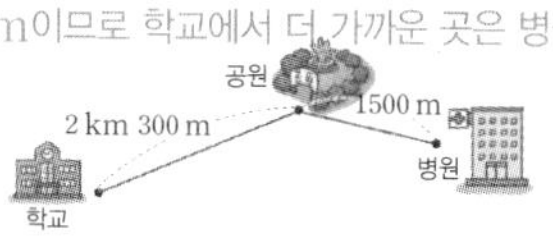

✿ 1500 m=1 km 500 m이므로 학교에서 더 가까운 곳은 병원입니다.

$$\begin{array}{r} 1\quad1000 \\ 2\ km\ 300\ m \\ -\ 1\ km\ 500\ m \\ \hline 800\ m \end{array}$$

(**병원**), (**800 m**)

15 지금 시각은 4시 20분입니다. 지금부터 1시간 45분 후의 시각은 몇 시 몇 분인지 구
해 보세요.

(**6시 5분**)

✿ $$\begin{array}{r} 1 \\ 4시\quad20분 \\ +\ 1시간\ 45분 \\ \hline 6시\quad5분 \end{array}$$

16 현영이가 게임을 시작한 시각과 끝낸 시각입니다. 현영이가 게임을 한 시간은 몇 분
몇 초인지 구해 보세요.

게임 시작   게임 끝

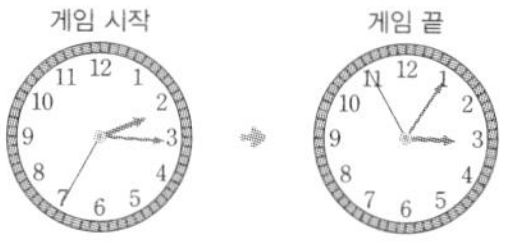

(**50분 20초**)

✿ 게임을 시작한 시각은 2시 15분 35초이고 게임을 끝낸 시각은 3시 5분 55초입니다.

$$\begin{array}{r} 2\quad60 \\ \cancel{3}시\quad5분\ 55초 \\ -\ 2시\ 15분\ 35초 \\ \hline 50분\ 20초 \end{array}$$

5. 길이와 시간 · 49

Test 종합평가 5. 길이와 시간

정답과 풀이 p.12

17 어느 날 해가 뜬 시각은 오전 6시 48분 54초이고, 해가 진 시각은 오후 7시 50분 45초
였습니다. 이날 낮의 길이는 몇 시간 몇 분 몇 초인지 구해 보세요.

(**13시간 1분 51초**)

✿ 오후 7시 50분 45초=19시 50분 45초
(낮의 길이)=(해가 진 시각)−(해가 뜬 시각)
=19시 50분 45초−6시 48분 54초=13시간 1분 51초

18 ㉠에서 ㉣까지의 거리는 6 km 420 m입니다. ㉡에서 ㉢까지의 거리는 몇 km 몇 m
인지 구해 보세요.

(**3 km 130 m**)

✿ (㉡~㉢)=(㉠~㉢)+(㉡~㉣)−(㉠~㉣)
=4 km 800 m+4 km 750 m−6 km 420 m
=9 km 550 m−6 km 420 m
=3 km 130 m

19 지율이와 친구들은 영화를 보려고 영화관에 도착하여 거울에 비친 시계를 보았더니
다음과 같았습니다. 영화관에 도착한 시각에서 가장 가까운 시각에 시작하는 영화를
보려면 몇 시간 몇 분 몇 초를 기다려야 하는지 구해 보세요. (단, 시간이 지난 영화는
볼 수 없습니다.)

영화 시간표			
1회	1시 20분	4회	6시 50분
2회	3시 10분	5회	8시 40분
3회	5시	6회	10시 30분

(**1시간 9분 30초**)

✿ 영화관에 도착한 시각은 5시 40분 30초이므로 가장 가까운 시각에 시작하는
영화는 4회 영화입니다.
➜ (기다려야 하는 시간)=6시 50분−5시 40분 30초=1시간 9분 30초

50 · Run - C 3-1

특강 창의·융합 사고력

정답과 풀이 p.12

1 대한민국 서울, 이란 테헤란, 스리랑카 콜롬보의 현재 시각을 나타낸 것입니다. 물음
에 답하세요. (서울, 테헤란, 콜롬보의 현재 시각은 모두 오전입니다.)

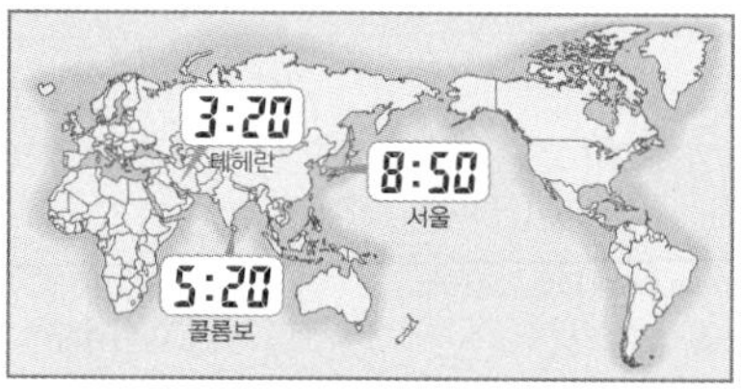

(1) 서울과 콜롬보의 시각 차이는 몇 시간 몇 분일까요?

(**3시간 30분**)

✿ 8시 50분−5시 20분=3시간 30분

(2) 서울이 오전 10시 15분일 때 콜롬보의 시각을 구해 보세요.

오전 (**6시 45분**)

✿ 콜롬보가 서울보다 3시간 30분 늦습니다.
➜ 10시 15분−3시간 30분=6시 45분

(3) 서울과 테헤란의 시각 차이는 몇 시간 몇 분일까요?

(**5시간 30분**)

✿ 8시 50분−3시 20분=5시간 30분

(4) 테헤란이 오후 4시 50분일 때 서울의 시각을 구해 보세요.

오후 (**10시 20분**)

✿ 서울이 테헤란보다 5시간 30분 빠릅니다.
➜ 4시 50분+5시간 30분=10시 20분

6 분수와 소수

피자 나누어 먹기

진주와 명철이는 배가 고파서 각자 피자 한 판씩을 시켰습니다.
두 사람의 대화를 보고 두 사람의 피자를 찾아 선으로 이어 보세요.

진주
피자 8조각 중에서 2조각을 먹었어.

명철
내가 더 많이 먹었네. 난 8조각 중 4조각을 먹었어.

피자는 똑같이 8조각으로 나누어져 있습니다.

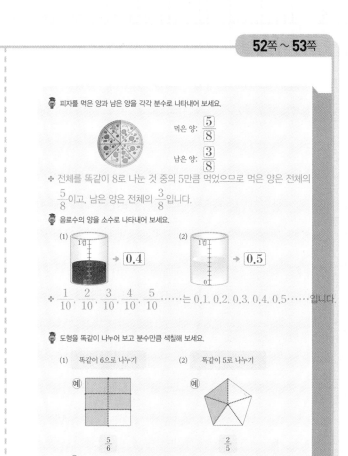

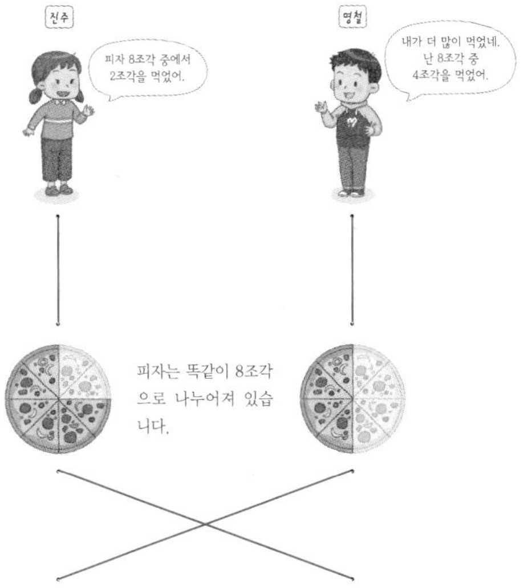

먹은 양은 전체의 $\frac{4}{8}$입니다.

➡ 똑같이 8로 나누어진 것 중의 4는 $\frac{4}{8}$입니다.

먹은 양은 전체의 $\frac{2}{8}$입니다.

➡ 똑같이 8로 나누어진 것 중의 2는 $\frac{2}{8}$입니다.

피자를 먹은 양과 남은 양을 각각 분수로 나타내어 보세요.

먹은 양: $\frac{5}{8}$

남은 양: $\frac{3}{8}$

✦ 전체를 똑같이 8로 나눈 것 중의 5만큼 먹었으므로 먹은 양은 전체의 $\frac{5}{8}$이고, 남은 양은 전체의 $\frac{3}{8}$입니다.

음료수의 양을 소수로 나타내어 보세요.

(1) → 0.4

(2) → 0.5

✦ $\frac{1}{10}, \frac{2}{10}, \frac{3}{10}, \frac{4}{10}, \frac{5}{10}$ ······는 0.1, 0.2, 0.3, 0.4, 0.5······입니다.

도형을 똑같이 나누어 보고 분수만큼 색칠해 보세요.

(1) 똑같이 6으로 나누기   (2) 똑같이 5로 나누기

예   예

$\frac{5}{6}$ $\frac{2}{5}$

✦ (1) $\frac{5}{6}$는 전체를 똑같이 6으로 나눈 것 중의 5입니다.

(2) $\frac{2}{5}$는 전체를 똑같이 5로 나눈 것 중의 2입니다.

1단계 교과서 개념 잡기

개념 1 똑같이 나누기

| 똑같이 둘로 나누기 | 똑같이 셋으로 나누기 | 똑같이 넷으로 나누기 |

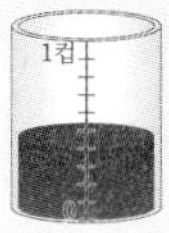

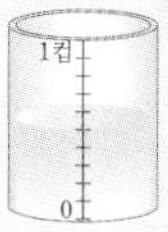

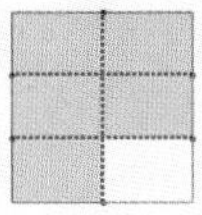

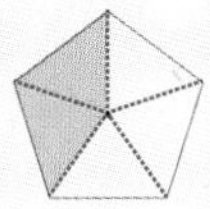

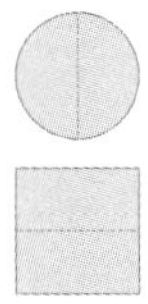

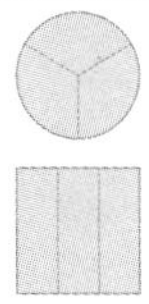

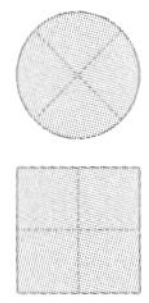

똑같이 나누어진 것은 크기와 모양이 모두 같습니다.
똑같이 나눈 도형을 서로 겹쳐 보았을 때 완전히 포개어집니다.

개념 2 분수 알아보기 (1)

부분 은 전체 를 똑같이 2로 나눈 것 중의 1입니다.

전체를 똑같이 2로 나눈 것 중의 1 ➡ 쓰기 $\frac{1}{2}$ 읽기 2분의 1

부분 은 전체 를 똑같이 3으로 나눈 것 중의 2입니다.

전체를 똑같이 3으로 나눈 것 중의 2 ➡ 쓰기 $\frac{2}{3}$ 읽기 3분의 2

분수: $\frac{1}{2}, \frac{2}{3}$와 같은 수

$\frac{1}{2}$ ← 분자
  ← 분모

$\frac{2}{3}$ ← 분자
  ← 분모

✦ 전체를 똑같이 ■로 나눈 것의 ▲

쓰기 $\frac{▲}{■}$ 읽기 ■분의 ▲ ➡ 분모: ■, 분자: ▲

개념 확인 문제

1 똑같이 나누어진 도형에 ○표, 똑같이 나누어지지 않은 도형에 ×표 하세요.

(×)   (○)   (×)   (○)

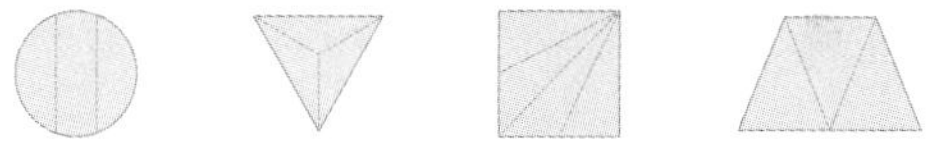

✦ 똑같이 나누어진 도형을 서로 겹쳐 보았을 때 완전히 포개어집니다.

2-1 □ 안에 알맞은 수를 써넣으세요.

전체를 똑같이 5로 나눈 것 중의 2를 $\frac{2}{5}$라 쓰고

5 분의 2 라고 읽습니다.

2-2 분수에 맞게 색칠한 것을 모두 찾아 ( ) 안에 ○표 하세요.

$\frac{4}{6}$

(○)   ( ) $\frac{3}{6}$ (○)

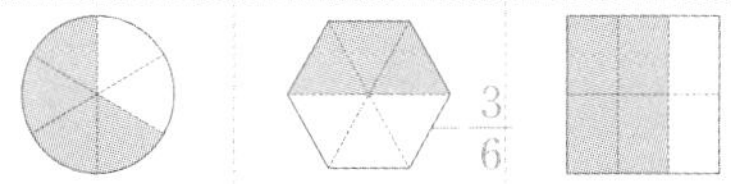

✦ 전체를 똑같이 6으로 나눈 것 중의 4를 색칠한 것을 찾습니다.

$\frac{3}{5}$

(○)   (○) $\frac{4}{5}$ ( )

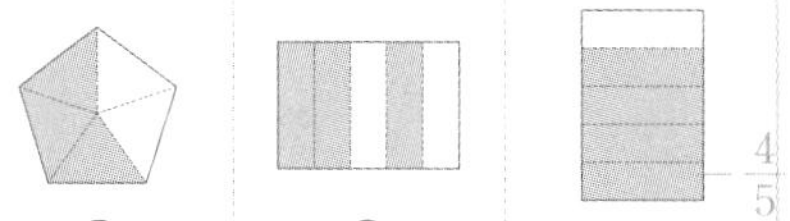

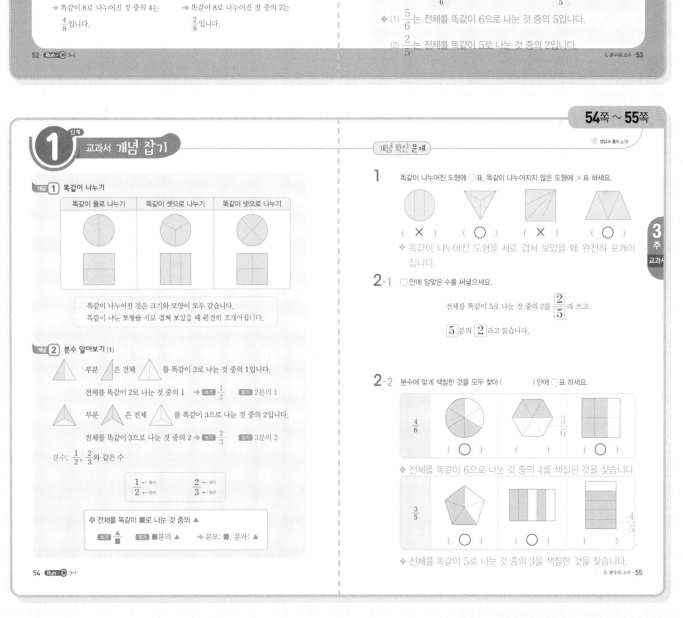

✦ 전체를 똑같이 5로 나눈 것 중의 3을 색칠한 것을 찾습니다.

1단계 교과서 개념 잡기

개념 3 분수 알아보기 (2)

· 전체에 대한 부분을 분수로 나타내기

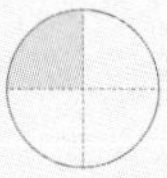

전체를 똑같이 4로 나눈 것 중 1만큼 색칠했으므로 색칠한 부분은 전체의 $\frac{1}{4}$입니다.

전체를 똑같이 4로 나눈 것 중 3만큼 색칠하지 않았으므로 색칠하지 않은 부분은 전체의 $\frac{3}{4}$입니다.

· 부분을 보고 전체 알아보기

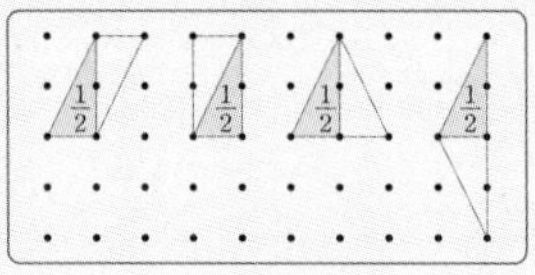

전체를 똑같이 2로 나눈 것 중의 1이 주어져 있으므로 나머지 1을 그립니다.

개념 4 분모가 같은 분수의 크기 비교하기

· $\frac{5}{6}$와 $\frac{2}{6}$의 크기 비교하기

①

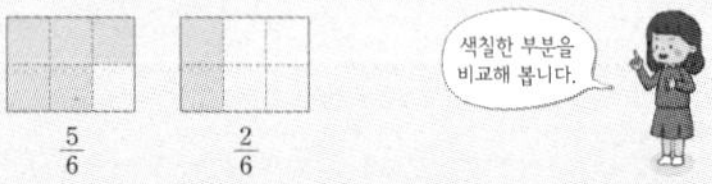

➔ 색칠한 부분을 비교해 보면 $\frac{5}{6}$가 $\frac{2}{6}$보다 더 큽니다.

② $\frac{5}{6}$는 $\frac{1}{6}$이 5개이고, $\frac{2}{6}$는 $\frac{1}{6}$이 2개입니다.

➔ 5>2이므로 $\frac{5}{6}$는 $\frac{2}{6}$보다 더 큽니다.

분모가 같은 분수는 분자가 클수록 더 큰 분수입니다.

정답과 풀이 p.14

개념 확인 문제

3-1 색칠한 부분과 색칠하지 않은 부분을 각각 분수로 나타내어 보세요.

(1)

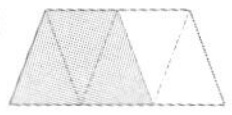

색칠한 부분 $\frac{3}{5}$

색칠하지 않은 부분 $\frac{2}{5}$

(2)

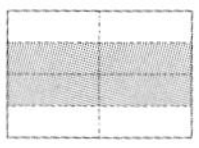

색칠한 부분 $\frac{4}{8}$

색칠하지 않은 부분 $\frac{4}{8}$

✤ (1) 전체를 똑같이 5로 나눈 것 중의 3만큼 색칠하고, 2만큼 색칠하지 않았습니다.
(2) 전체를 똑같이 8로 나눈 것 중의 4만큼 색칠하고, 4만큼 색칠하지 않았습니다.

3-2 부분을 보고 전체를 그려 보세요.

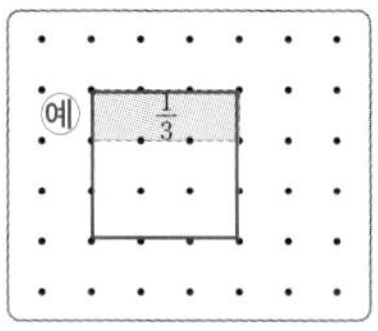

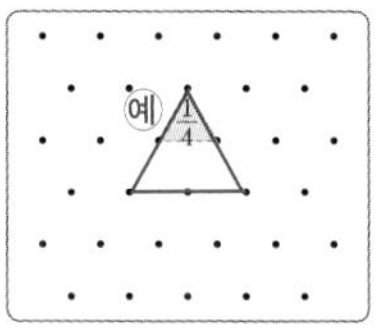

✤ 전체를 똑같이 3으로 나눈 것 중의 1이 주어져 있으므로 나머지 2를 그립니다.
✤ 전체를 똑같이 4로 나눈 것 중의 1이 주어져 있으므로 나머지 3을 그립니다.

4-1 두 분수의 크기를 비교하여 ○ 안에 >, =, <를 알맞게 써넣으세요.

(1) $\frac{2}{7} < \frac{5}{7}$ (2) $\frac{5}{6} > \frac{1}{6}$ (3) $\frac{2}{4} < \frac{3}{4}$

✤ (1) $2<5 \rightarrow \frac{2}{7}<\frac{5}{7}$ (2) $5>1 \rightarrow \frac{5}{6}>\frac{1}{6}$ (3) $2<3 \rightarrow \frac{2}{4}<\frac{3}{4}$

4-2 가장 큰 분수에 ○표 하세요.

($\frac{7}{10}$) $\frac{3}{10}$ $\frac{4}{10}$

✤ $7>4>3$이므로 $\frac{7}{10}>\frac{4}{10}>\frac{3}{10}$입니다.

1단계 교과서 개념 잡기

개념 5 단위분수의 크기 비교하기

단위분수: 분수 중에서 $\frac{1}{2}, \frac{1}{3}, \frac{1}{4}, \frac{1}{5}$……과 같이 분자가 1인 분수

· 그림으로 단위분수의 크기 비교하기

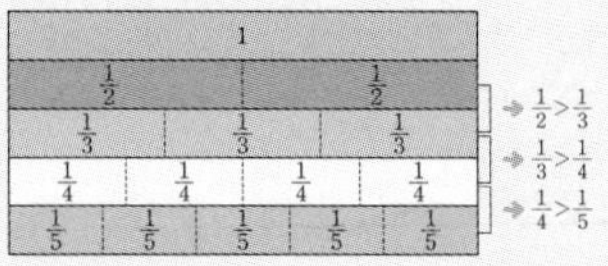

· 수직선으로 단위분수의 크기 비교하기

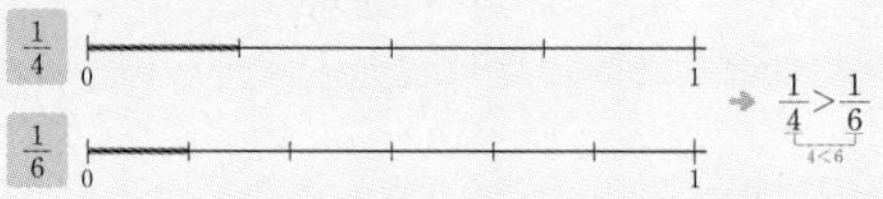

단위분수는 분모가 작을수록 더 큰 분수입니다.

개념 6 소수 알아보기 (1)

소수: 0.1, 0.2, 0.3과 같은 수

소수점: 소수 0.1, 0.2, 0.3에서 '.'

분수		$\frac{1}{10}$	$\frac{2}{10}$	$\frac{3}{10}$	$\frac{4}{10}$	$\frac{5}{10}$	……
소수	쓰기	0.1	0.2	0.3	0.4	0.5	……
	읽기	영 점 일	영 점 이	영 점 삼	영 점 사	영 점 오	……

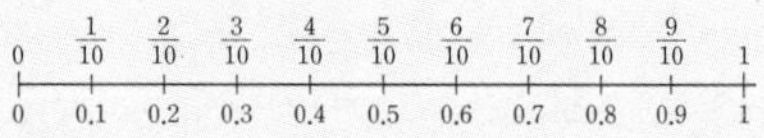

1 cm를 똑같이 10으로 나눈 것 중 1은 $\frac{1}{10}$ cm이고, $\frac{1}{10}$ cm=0.1 cm입니다.

정답과 풀이 p.14

개념 확인 문제

5-1 단위분수만큼 색칠해 보고 알맞은 말에 ○표 하세요.

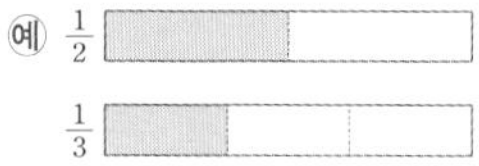

➔ $\frac{1}{2}$이 $\frac{1}{3}$보다 더 (큽니다, 작습니다). — 큽니다에 ○

✤ 색칠한 부분을 비교해 보면 $\frac{1}{2}$이 $\frac{1}{3}$보다 더 큽니다.

5-2 두 분수의 크기를 비교하여 ○ 안에 >, =, <를 알맞게 써넣으세요.

(1) $\frac{1}{5} < \frac{1}{4}$ (2) $\frac{1}{7} > \frac{1}{10}$ (3) $\frac{1}{9} < \frac{1}{6}$

✤ (1) $5>4 \rightarrow \frac{1}{5}<\frac{1}{4}$ (2) $7<10 \rightarrow \frac{1}{7}>\frac{1}{10}$ (3) $9>6 \rightarrow \frac{1}{9}<\frac{1}{6}$

6-1 같은 것끼리 선으로 이어 보세요.

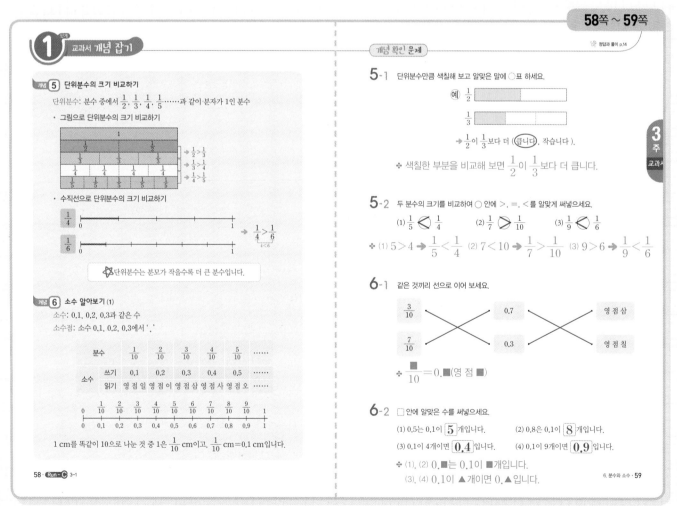

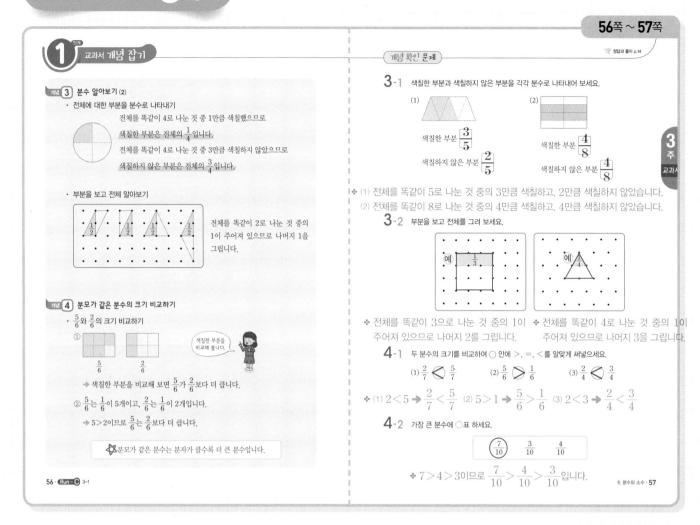

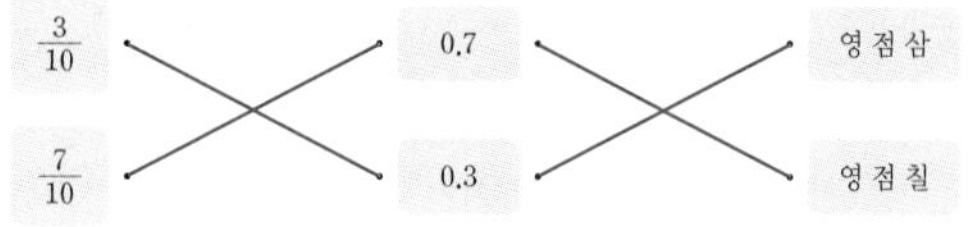

✤ $\frac{■}{10}$=0.■(영 점 ■)

6-2 □ 안에 알맞은 수를 써넣으세요.

(1) 0.5는 0.1이 5개입니다.
(2) 0.8은 0.1이 8개입니다.
(3) 0.1이 4개이면 0.4입니다.
(4) 0.1이 9개이면 0.9입니다.

✤ (1), (2) 0.■는 0.1이 ■개입니다.
(3), (4) 0.1이 ▲개이면 0.▲입니다.

1단계 교과서 개념 잡기

개념 7 소수 알아보기 (2)

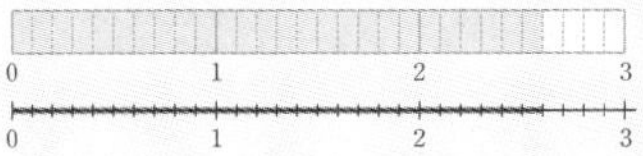

① 색칠한 부분은 0.1이 26개입니다.
② 0.1이 20개이면 2이고, 0.1이 6개이면 0.6이므로 2와 0.6만큼은 2.6입니다.
→ 2와 0.6만큼을 2.6이라 쓰고 이 점 육이라고 읽습니다.

지우개는 4 cm보다 2 mm 더 깁니다. → 4.2 cm
(2 mm = 0.2 cm)

개념 8 소수의 크기 비교하기

- 자연수 부분이 0인 소수의 크기 비교하기

예 0.9와 0.4의 크기 비교하기

① 수 막대를 이용하여 비교하기

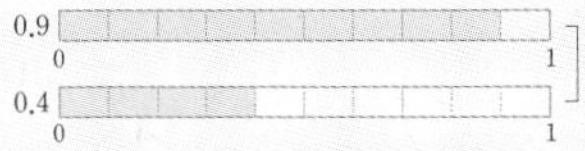

→ 0.9 > 0.4

② 0.1이 몇 개인지 알고 비교하기
0.9는 0.1이 9개입니다.
0.4는 0.1이 4개입니다.
→ 9 > 4이므로 0.9는 0.4보다 더 큽니다.

- 자연수 부분이 0인 아닌 소수의 크기 비교하기

① 자연수 부분의 크기를 먼저 비교합니다.
2.3 > 1.9 (2 > 1) 자연수 부분의 크기가 큰 쪽이 더 큽니다.

② 자연수 부분이 같으면 소수 부분의 크기를 비교합니다.
1.6 < 1.8 (6 < 8) 소수 부분의 크기가 큰 쪽이 더 큽니다.

개념 확인 문제

정답과 풀이 p.15

7-1 □ 안에 알맞은 소수를 써넣으세요.

(1) 8 mm = **0.8** cm　　(2) 3 cm 9 mm = **3.9** cm

✤ (1) 8 mm = $\frac{8}{10}$ cm = 0.8 cm
(2) 3 cm 9 mm는 39 mm이므로 3.9 cm입니다.

7-2 잘못 나타낸 것을 찾아 기호를 써 보세요.

㉠ 7 mm = 0.7 cm　　㉡ 1.9 cm = 19 mm
㉢ 4 cm 1 mm = 41 cm　　㉣ 2.5 cm = 2 cm 5 mm

(㉢)

✤ ㉢ 4 cm 1 mm = 4.1 cm

8-1 소수의 크기를 비교하려고 합니다. □ 안에 알맞은 수를 써넣고, ○ 안에 >, =, <를 알맞게 써넣으세요.

(1) 0.6은 0.1이 **6**개이고, 0.9는 0.1이 **9**개입니다.
→ 0.6 **<** 0.9

(2) 2.4는 0.1이 **24**개이고, 1.6은 0.1이 **16**개입니다.
→ 2.4 **>** 1.6

8-2 두 소수의 크기를 비교하여 ○ 안에 >, =, <를 알맞게 써넣으세요.

(1) 1.2 **<** 2.1　　(2) 3.5 **<** 3.8

✤ (1) 1.2 < 2.1 (1 < 2)　(2) 3.5 < 3.8 (5 < 8)

PLAY 교과서 개념 스토리 쿠키 만들기

붙임딱지

색칠한 부분을 나타낸 분수가 쓰인 붙임딱지를 붙여 쿠키를 완성해 보세요.

✤ 전체를 똑같이 ■로 나눈 것 중의 ▲는 $\frac{▲}{■}$입니다.

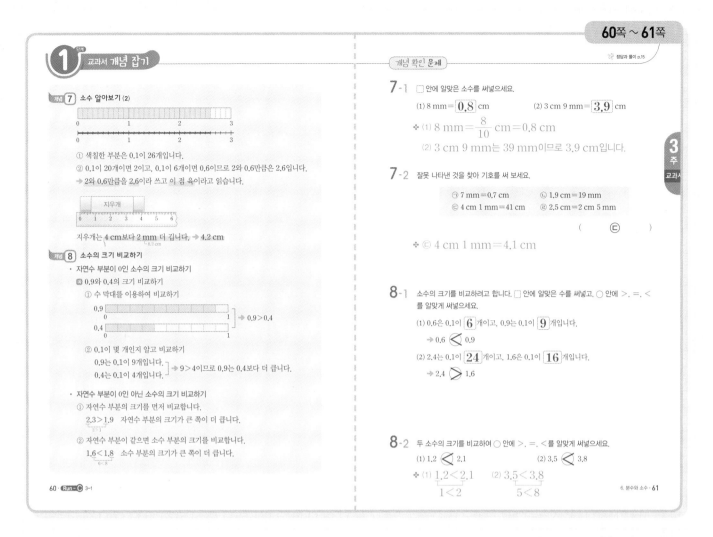

64쪽 ~ 65쪽

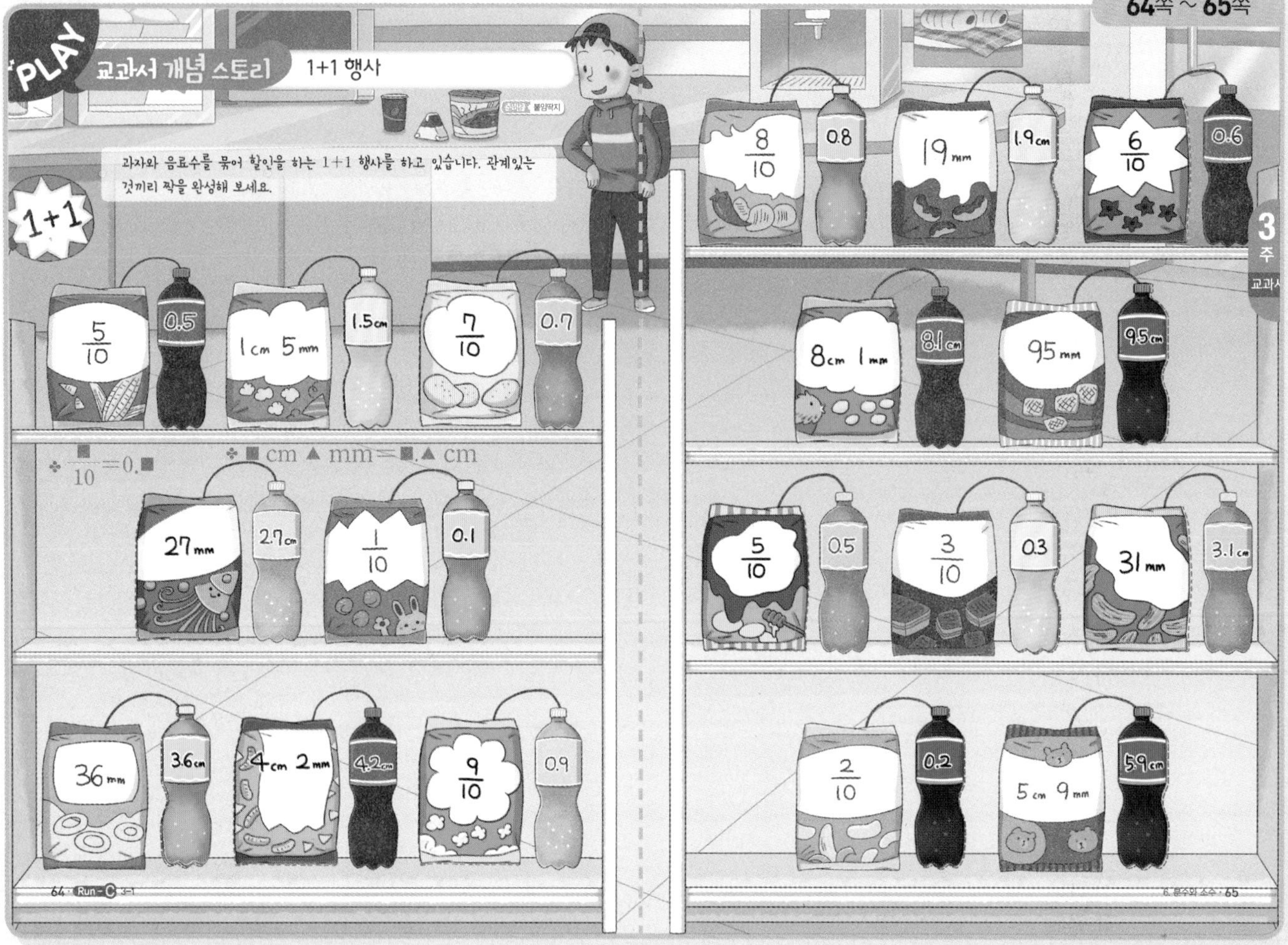

❖ $\frac{■}{10}$=0.■ ❖ ■cm ▲mm=■.▲cm

66쪽 ~ 67쪽

2단계 교과서 개념 다지기

정답과 풀이 p.16

개념 1 똑같이 나누기

01 똑같이 나누어지지 않은 도형을 모두 찾아 기호를 써 보세요.

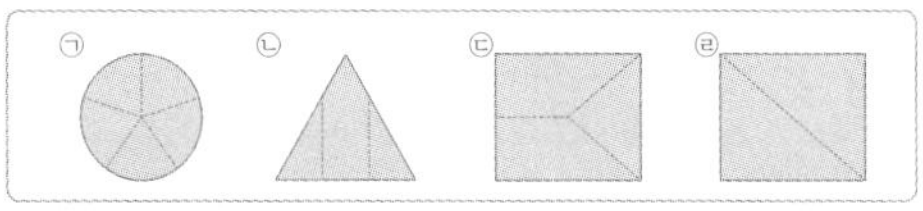

(㉡, ㉢)

❖ ㉠ 똑같이 다섯으로 나눈 도형
㉣ 똑같이 둘로 나눈 도형

02 똑같이 여섯으로 나누어 보세요.

(1) 예 (2) 예

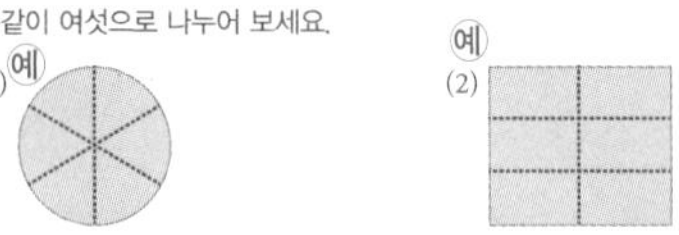

❖ 나누어진 조각의 크기와 모양이 같도록 여섯으로 나눕니다.

03 크기가 같은 조각이 몇 개 있는지 써 보세요.

(1) 8 조각 (2) 4 조각

개념 2 분수 알아보기

04 □ 안에 알맞게 써넣으세요.

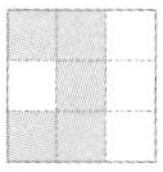

색칠한 부분은 전체를 똑같이 9 (으)로 나눈 것 중의 5 이므로 $\frac{5}{9}$ (이)라 쓰고 9분의 5 (이)라고 읽습니다.

❖ 전체를 똑같이 ■로 나눈 것 중의 ▲는 $\frac{▲}{■}$라 쓰고 ■분의 ▲라고 읽습니다.

05 색칠한 부분을 분수로 쓰고 읽어 보세요.

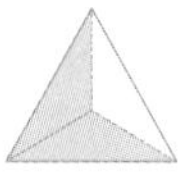

쓰기 ($\frac{2}{3}$)
읽기 (3분의 2)

❖ 전체를 똑같이 3으로 나눈 것 중의 2이므로 $\frac{2}{3}$라 쓰고 3분의 2라고 읽습니다.

06 분수에 맞게 색칠한 것을 찾아 선으로 이어 보세요.

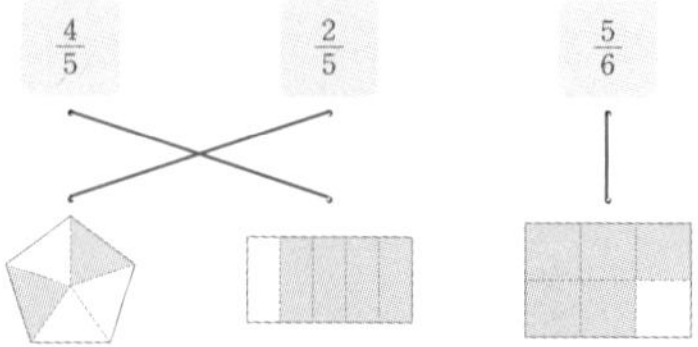

❖ $\frac{4}{5}$ → 전체를 똑같이 5로 나눈 것 중의 4.
$\frac{2}{5}$ → 전체를 똑같이 5로 나눈 것 중의 2.
$\frac{5}{6}$ → 전체를 똑같이 6으로 나눈 것 중의 5

07 전체에 알맞은 도형을 모두 찾아 기호를 써 보세요.

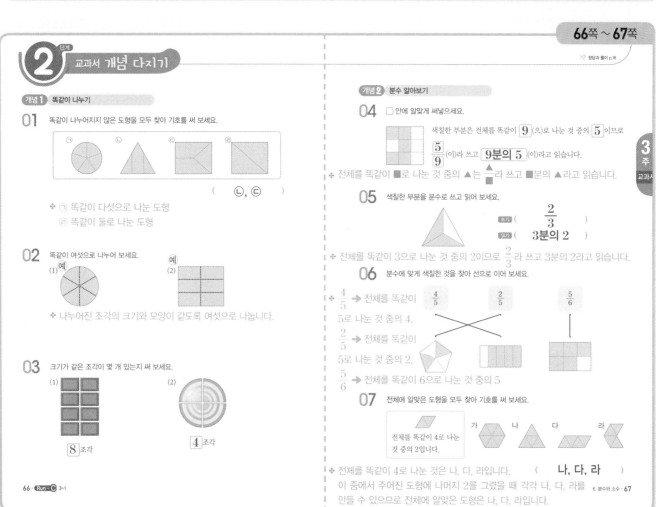

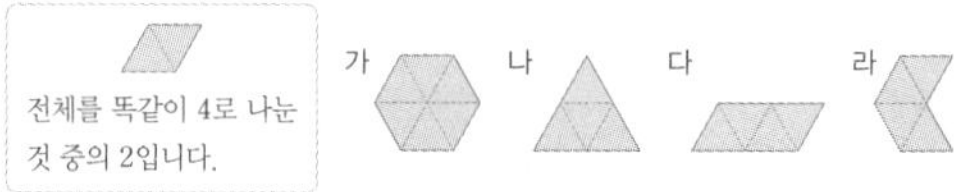

(나, 다, 라)

❖ 전체를 똑같이 4로 나눈 것은 나, 다, 라입니다.
이 중에서 주어진 도형에 나머지 2를 그렸을 때 각각 나, 다, 라를 만들 수 있으므로 전체에 알맞은 도형은 나, 다, 라입니다.

3주 교과서

2단계 교과서 개념 다지기

정답과 풀이 p.17

개념 3 분모가 같은 분수의 크기 비교

08 주어진 분수를 수직선에 ▬로 나타내고 크기를 비교하여 ○ 안에 >, =, <를 알맞게 써넣으세요.

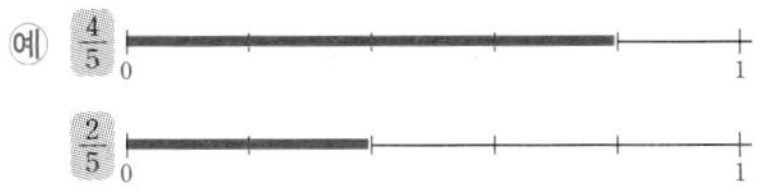

$\frac{4}{5}$ (>) $\frac{2}{5}$

✣ 그은 선의 길이가 $\frac{4}{5}$가 더 길므로 $\frac{4}{5}>\frac{2}{5}$입니다.

09 가장 큰 분수에 ○표, 가장 작은 분수에 △표 하세요.

$\frac{2}{7}$ ($\frac{6}{7}$ ○) $\frac{3}{7}$ $\frac{5}{7}$ ($\frac{1}{7}$ △) $\frac{4}{7}$

✣ 분모가 같은 분수는 분자가 클수록 더 큰 분수입니다.
6>5>4>3>2>1이므로
$\frac{6}{7}>\frac{5}{7}>\frac{4}{7}>\frac{3}{7}>\frac{2}{7}>\frac{1}{7}$입니다.

10 색 테이프를 규현이는 $\frac{7}{8}$ m, 지훈이는 $\frac{5}{8}$ m 가지고 있습니다. 규현이와 지훈이 중에서 가지고 있는 색 테이프가 더 짧은 사람은 누구일까요?

(지훈)

✣ 7>5이므로 $\frac{7}{8}>\frac{5}{8}$입니다.
➜ 지훈이가 가진 색 테이프가 더 짧습니다.

개념 4 단위분수의 크기 비교

11 $\frac{1}{3}$과 $\frac{1}{4}$만큼 각각 색칠하고 크기를 비교하여 ○ 안에 >, =, <를 알맞게 써넣으세요.

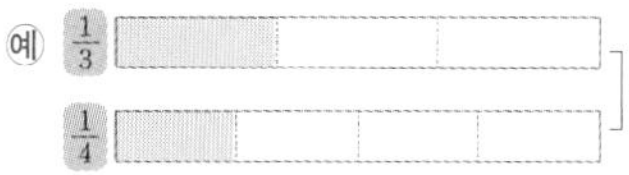

➜ $\frac{1}{3}$ (>) $\frac{1}{4}$

✣ 색칠한 부분이 더 넓은 것은 $\frac{1}{3}$입니다.

12 두 분수의 크기를 비교하여 ○ 안에 >, =, <를 알맞게 써넣으세요.

(1) $\frac{1}{9}$ (<) $\frac{1}{7}$ (2) $\frac{1}{10}$ (>) $\frac{1}{12}$ (3) $\frac{1}{2}$ (>) $\frac{1}{6}$

✣ (1) 9>7 ➜ $\frac{1}{9}<\frac{1}{7}$ (2) 10<12 ➜ $\frac{1}{10}>\frac{1}{12}$ (3) 2<6 ➜ $\frac{1}{2}>\frac{1}{6}$

13 크기가 작은 분수부터 차례로 써 보세요.

$\frac{1}{5}$ $\frac{1}{11}$ $\frac{1}{8}$ $\frac{1}{4}$

($\frac{1}{11}$, $\frac{1}{8}$, $\frac{1}{5}$, $\frac{1}{4}$)

✣ 단위분수는 분모가 클수록 더 작은 분수입니다.
➜ 11>8>5>4이므로 $\frac{1}{11}<\frac{1}{8}<\frac{1}{5}<\frac{1}{4}$입니다.

14 2부터 9까지의 수 중에서 □ 안에 들어갈 수 있는 수를 모두 구해 보세요.

$\frac{1}{4}$ < $\frac{1}{□}$

(2, 3)

✣ 4>□이므로 □=2, 3입니다.

2단계 교과서 개념 다지기

정답과 풀이 p.17

개념 5 소수 알아보기

15 같은 것끼리 선으로 이어 보세요.

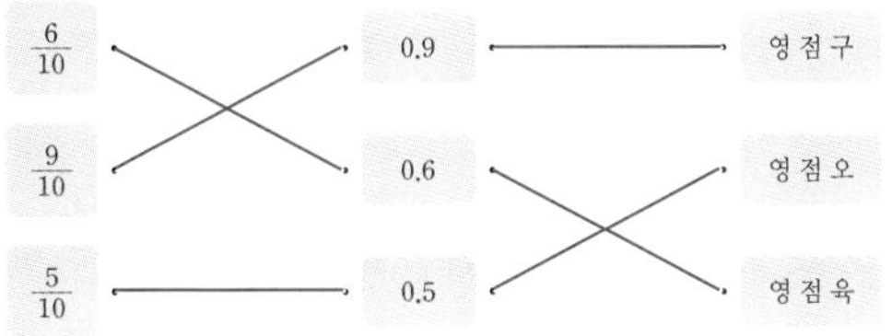

✣ $\frac{6}{10}$=0.6(영 점 육), $\frac{9}{10}$=0.9(영 점 구), $\frac{5}{10}$=0.5(영 점 오)

16 소수만큼 색칠해 보세요.

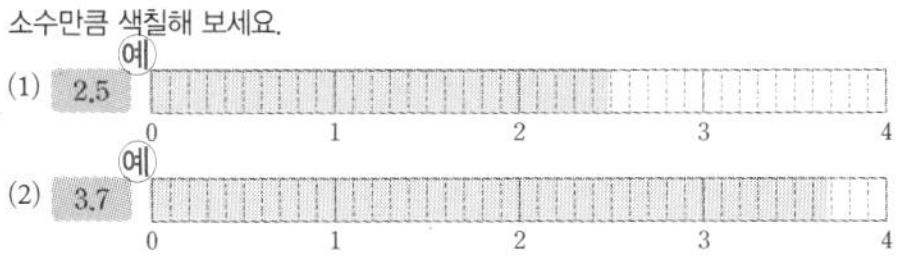

✣ (1) 2.5는 2와 0.5만큼입니다.
(2) 3.7은 3과 0.7만큼입니다.

17 □ 안에 알맞은 수를 써넣으세요.

(1) 7 cm 2 mm= 7.2 cm (2) 4 cm 1 mm= 4.1 cm
(3) 38 mm= 3.8 cm (4) 29 mm= 2.9 cm

✣ ■ cm ▲ mm는 ■.▲ cm입니다.

18 그림을 보고 소수로 나타내어 보세요.

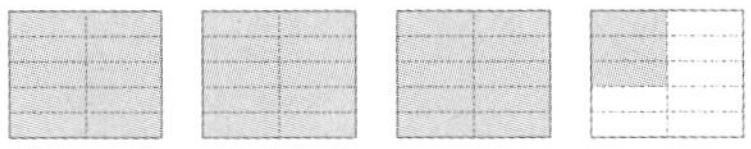

(3.3)

✣ 3과 0.3만큼을 3.3이라고 합니다.

개념 6 소수의 크기 비교

19 소수를 수직선에 ▬으로 나타내고 크기를 비교하여 ○ 안에 >, =, <를 알맞게 써넣으세요.

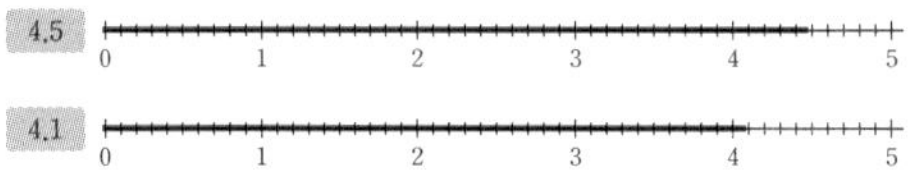

4.5 (>) 4.1

✣ 수직선에 나타낸 길이를 비교하면 4.5>4.1입니다.

20 두 소수의 크기를 비교하여 ○ 안에 >, =, <를 알맞게 써넣으세요.

(1) 1.8 (<) 2.2 (2) 5.3 (<) 5.7 (3) 3.1 (<) 4.6

✣ (1) 1.8<2.2 (1<2) (2) 5.3<5.7 (같음, 3<7) (3) 3.1<4.6 (3<4)

21 두 수의 크기를 비교하여 더 큰 수의 기호를 써 보세요.

㉠ 0.8
㉡ 0.1이 7개인 수

(㉠)

✣ ㉡ 0.1이 7개인 수 ➜ 0.7 ➜ 0.8>0.7이므로 ㉠이 더 큽니다. (8>7)

22 작은 수부터 차례로 기호를 써 보세요.

㉠ 0.1이 32개인 수 ㉡ 3.6 ㉢ $\frac{1}{10}$이 35개인 수

(㉠, ㉢, ㉡)

✣ ㉠ 0.1이 32개인 수는 3.2입니다.
㉢ $\frac{1}{10}$이 35개인 수는 3.5입니다.
➜ 3.2<3.5<3.6이므로 ㉠<㉢<㉡입니다.

3단계 교과서 실력 다지기

정답과 풀이 p.18

★ 먹은 양 알아보기

1 윤주가 와플을 똑같이 4조각으로 나누어 전체의 $\frac{1}{2}$을 먹었습니다. 윤주가 먹은 와플은 몇 조각일까요?

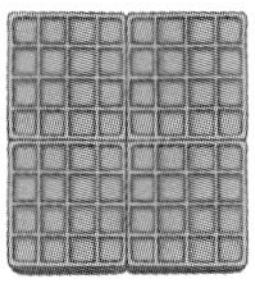

답 2조각

개념 피드백 전체를 똑같이 ■로 나눈 것 중의 ▲만큼을 $\frac{▲}{■}$라고 합니다.

❖ $\frac{1}{2}$은 전체를 똑같이 2로 나눈 것 중의 1이므로 2조각입니다.

1-1 윤아는 피자를 똑같이 8조각으로 나누어 전체의 $\frac{1}{4}$을 먹었습니다. 윤아가 먹은 피자는 몇 조각일까요?

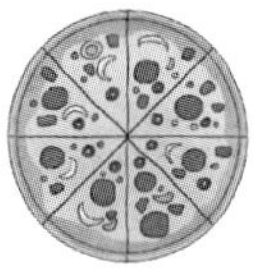

(2조각)

❖ $\frac{1}{4}$은 전체를 똑같이 4로 나눈 것 중의 1이므로 2조각입니다.

1-2 케이크를 똑같이 10조각으로 나누어 혜미는 전체의 $\frac{1}{2}$만큼 먹었고, 용빈이는 전체의 $\frac{1}{5}$만큼 먹었습니다. 누가 케이크를 몇 조각 더 많이 먹었는지 차례로 써 보세요.

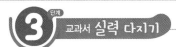

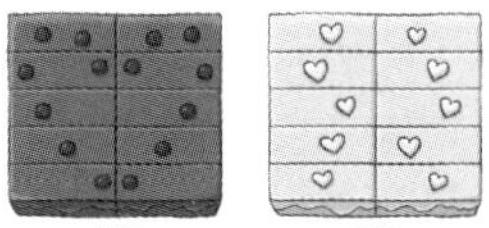

(혜미), (3조각)

❖ 혜미: $\frac{1}{2}$은 전체를 똑같이 2로 나눈 것 중의 1이므로 5조각을 먹었습니다.

용빈: $\frac{1}{5}$은 전체를 똑같이 5로 나눈 것 중의 1이므로 2조각을 먹었습니다.

따라서 혜미가 케이크를 $5-2=3$(조각) 더 많이 먹었습니다.

★ 조건에 알맞은 분수 구하기

2 분모가 8인 분수 중에서 $\frac{3}{8}$보다 크고 $\frac{7}{8}$보다 작은 분수를 모두 찾아 ○표 하세요.

$\frac{2}{8}$ ($\frac{5}{8}$) $\frac{7}{8}$ ($\frac{6}{8}$) $\frac{3}{8}$

개념 피드백 • 분모가 같은 분수의 크기 비교하기
분모가 같은 분수는 분자가 클수록 더 큰 분수입니다.

❖ 분모가 8인 분수 중에서 $\frac{3}{8}$보다 크고 $\frac{7}{8}$보다 작은 분수는 분자가 3보다 크고 7보다 작아야 하므로 $\frac{4}{8}$, $\frac{5}{8}$, $\frac{6}{8}$입니다.

2-1 분모가 9인 분수 중에서 $\frac{4}{9}$보다 크고 $\frac{8}{9}$보다 작은 분수를 모두 써 보세요.

($\frac{5}{9}$, $\frac{6}{9}$, $\frac{7}{9}$)

❖ 분모가 9인 분수 중에서 $\frac{4}{9}$보다 크고 $\frac{8}{9}$보다 작은 분수는 분자가 4보다 크고 8보다 작아야 하므로 $\frac{5}{9}$, $\frac{6}{9}$, $\frac{7}{9}$입니다.

2-2 분모가 11인 분수 중에서 $\frac{5}{11}$보다 크고 $\frac{10}{11}$보다 작은 분수는 모두 몇 개인지 구해 보세요.

(4개)

❖ 분모가 11인 분수 중에서 $\frac{5}{11}$보다 크고 $\frac{10}{11}$보다 작은 분수는 분자가 5보다 크고 10보다 작아야 하므로 $\frac{6}{11}$, $\frac{7}{11}$, $\frac{8}{11}$, $\frac{9}{11}$로 모두 4개입니다.

3단계 교과서 실력 다지기

정답과 풀이 p.18

★ □ 안에 들어갈 수 있는 수 구하기

3 1부터 9까지의 수 중에서 □ 안에 들어갈 수 있는 수를 모두 써 보세요.

0.□ < 0.5

답 1, 2, 3, 4

개념 피드백 • 소수의 크기 비교하기
① 자연수 부분의 크기를 먼저 비교합니다. 자연수 부분이 클수록 더 큰 수입니다.
② 자연수 부분이 같으면 소수 부분의 크기를 비교합니다. 소수 부분이 클수록 더 큰 수입니다.

❖ □<5 ➔ □=1, 2, 3, 4

3-1 1부터 9까지의 수 중에서 □ 안에 들어갈 수 있는 수를 모두 써 보세요.

3.7 < 3.□

(8, 9)

❖ 자연수 부분이 3으로 같으므로 소수 부분을 비교하면 7<□입니다. 따라서 □ 안에 들어갈 수 있는 수는 8, 9입니다.

3-2 1부터 9까지의 수 중에서 □ 안에 들어갈 수 있는 수는 모두 몇 개인지 구해 보세요.

1.2 < 1.□ < 1.6

(3개)

❖ 자연수 부분이 1로 모두 같으므로 소수 부분을 비교하면 2<□<6입니다.
➔ □ 안에 들어갈 수 있는 수는 3, 4, 5로 모두 3개입니다.

★ 수 카드로 소수 만들기

4 3장의 수 카드 중에서 2장을 뽑아 한 번씩만 사용하여 소수 ■.▲를 만들려고 합니다. 만들 수 있는 소수 중에서 가장 큰 수와 가장 작은 수를 각각 구해 보세요.

[2] [5] [3]

가장 큰 수 (5.3)
가장 작은 수 (2.3)

개념 피드백 • 가장 큰 소수 ■.▲ 만들기
㉠>㉡>㉢일 때 가장 큰 소수는 ㉠.㉡입니다.
• 가장 작은 소수 ■.▲ 만들기
㉠>㉡>㉢일 때 가장 작은 소수는 ㉢.㉡입니다.

❖ 5>3>2이므로 만들 수 있는 소수 중에서 가장 큰 수는 5.3이고, 가장 작은 수는 2.3입니다.

4-1 3장의 수 카드 중에서 2장을 뽑아 한 번씩만 사용하여 소수 ■.▲를 만들려고 합니다. 만들 수 있는 소수 중에서 가장 큰 수와 가장 작은 수를 각각 구해 보세요.

[3] [7] [6]

가장 큰 수 (7.6)
가장 작은 수 (3.6)

❖ 7>6>3이므로 만들 수 있는 소수 중에서 가장 큰 수는 7.6이고, 가장 작은 수는 3.6입니다.

4-2 4장의 수 카드 중에서 2장을 뽑아 한 번씩만 사용하여 소수 ■.▲를 만들려고 합니다. 만들 수 있는 소수 중에서 가장 큰 수와 가장 작은 수를 각각 구해 보세요.

[8] [1] [5] [3]

가장 큰 수 (8.5)
가장 작은 수 (1.3)

❖ 8>5>3>1이므로 만들 수 있는 소수 중에서 가장 큰 수는 8.5이고, 가장 작은 수는 1.3입니다.

3 교과서 **실력 다지기**

정답과 풀이 p.19

★ 조건을 만족하는 분수 구하기

5 다음 조건을 모두 만족하는 분수를 모두 구해 보세요.

- 단위분수입니다.
- $\frac{1}{7}$보다 큰 분수입니다.
- $\frac{1}{4}$보다 작은 분수입니다.

답 $\frac{1}{5}$, $\frac{1}{6}$

❖ 단위분수는 분자가 1인 분수입니다. ➡ $\frac{1}{\square}$

$\frac{1}{7} < \frac{1}{\square}$ ➡ $7 > \square$, $\frac{1}{4} > \frac{1}{\square}$ ➡ $4 < \square$

따라서 □ 안에 알맞은 수는 5, 6이므로 조건을 모두 만족하는 분수는 $\frac{1}{5}$, $\frac{1}{6}$ 입니다.

5-1 다음 조건을 모두 만족하는 분수는 몇 개인지 구해 보세요.

❖ 단위분수는 분자가 1인 분수입니다. ➡ $\frac{1}{\square}$

- 단위분수입니다.
- $\frac{1}{5}$보다 작은 분수입니다.
- $\frac{1}{10}$보다 큰 분수입니다.

$\frac{1}{5} > \frac{1}{\square}$ ➡ $5 < \square$,

$\frac{1}{10} < \frac{1}{\square}$ ➡ $10 > \square$

(**4개**)

따라서 □ 안에 알맞은 수는 6, 7, 8, 9이므로 조건을 모두 만족하는 분수는

5-2 ■가 될 수 있는 분수는 모두 몇 개인지 구해 보세요. $\frac{1}{6}, \frac{1}{7}, \frac{1}{8}, \frac{1}{9}$로 4개입니다.

❖ 단위분수는 분자가 1인 분수입니다. ➡ $\frac{1}{\square}$

- ■는 단위분수입니다.
- $\frac{1}{9} \leq ■ < \frac{1}{2}$

(**6개**)

$\frac{1}{9} < \frac{1}{\square}$ ➡ $9 > \square$, $\frac{1}{\square} < \frac{1}{2}$ ➡ $\square > 2$

76 · Run-C 3-1

따라서 □ 안에 알맞은 수는 3, 4, 5, 6, 7, 8이므로

■는 $\frac{1}{3}, \frac{1}{4}, \frac{1}{5}, \frac{1}{6}, \frac{1}{7}, \frac{1}{8}$로 모두 6개입니다.

★ 단위가 다른 길이 비교하기

6 몸의 길이가 개똥벌레는 3.7 cm이고, 메뚜기는 45 mm입니다. 길이가 더 긴 곤충의 이름을 써 보세요.

답 **메뚜기**

개념 피드백
■ 1 cm는 10 mm이므로 1 mm는 0.1 cm입니다.
■ ▲ mm는 0.1 cm가 ▲개인 것과 같으므로 0.▲ cm입니다.

❖ 45 mm = 4.5 cm이고 3.7 < 4.5입니다.
따라서 메뚜기가 개똥벌레보다 더 깁니다.
[다른 풀이] 3.7 cm = 37 mm이고 37 < 45입니다.
따라서 메뚜기가 개똥벌레보다 더 깁니다.

6-1 가지고 있는 리본의 길이가 영진이는 7.6 cm이고, 동우는 69 mm입니다. 길이가 더 짧은 리본을 가지고 있는 사람은 누구인지 써 보세요.

(**동우**)

❖ 69 mm = 6.9 cm이고 7.6 > 6.9입니다.
따라서 동우가 가진 리본의 길이가 더 짧습니다.
[다른 풀이] 7.6 cm = 76 mm이고 76 > 69입니다.
따라서 동우가 가진 리본의 길이가 더 짧습니다.

6-2 길이가 짧은 것부터 차례로 기호를 써 보세요.

㉠ 62 mm ㉡ 7 cm 1 mm
㉢ 6.9 cm ㉣ 80 mm

(㉠, ㉢, ㉡, ㉣)

❖ ㉠ 62 mm = 6.2 cm ㉡ 7 cm 1 mm = 7.1 cm ㉣ 80 mm = 8 cm

$\underset{2<9}{6 < 7}$

➡ $6.2 < \underset{7<8}{6.9 < 7.1} < 8$이므로 ㉠ < ㉢ < ㉡ < ㉣입니다.

6. 분수와 소수 · 77

Test 교과서 **서술형 연습**

정답과 풀이 p.19

1 지영이가 먹고 남은 케이크입니다. 전체에 대한 남은 부분을 분수로 나타내어 보세요.

✐ 구하려는 것, 주어진 것에 선을 그어 봅니다.

[해결하기] 남은 부분은 전체를 똑같이 **6**(으)로 나눈 것 중의 **4**입니다.

따라서 남은 부분은 전체의 $\frac{4}{6}$입니다.

[답 구하기] $\frac{4}{6}$

2 가은이가 먹고 남은 피자입니다. 전체에 대한 남은 부분을 분수로 나타내어 보세요.

주어진 것 ___ 구하려는 것

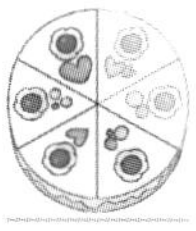

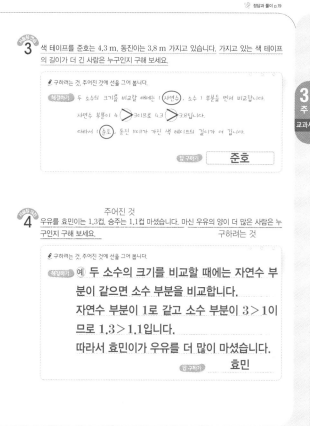

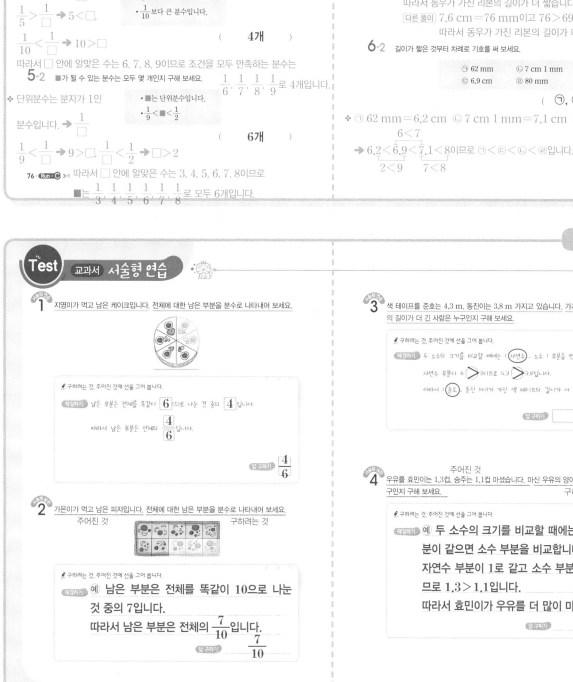

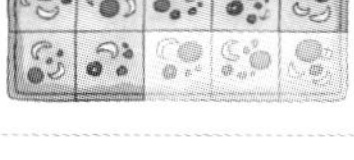

✐ 구하려는 것, 주어진 것에 선을 그어 봅니다.

[해결하기] 예 남은 부분은 전체를 똑같이 10으로 나눈 것 중의 7입니다.

따라서 남은 부분은 전체의 $\frac{7}{10}$입니다.

[답 구하기] $\frac{7}{10}$

78 · Run-C 3-1

3 색 테이프를 준호는 4.3 m, 동진이는 3.8 m 가지고 있습니다. 가지고 있는 색 테이프의 길이가 더 긴 사람은 누구인지 구해 보세요.

✐ 구하려는 것, 주어진 것에 선을 그어 봅니다.

[해결하기] 두 소수의 크기를 비교할 때에는 (자연수), 소수 첫째 부분을 먼저 비교합니다.

자연수 부분이 4로 크기로 4.3 > 3.8입니다.

따라서 (준호), 동진 테가 가진 색 테이프의 길이가 더 깁니다.

[답 구하기] **준호**

4 우유를 효민이는 1.3컵, 승주는 1.1컵 마셨습니다. 마신 우유의 양이 더 많은 사람은 누구인지 구해 보세요.

주어진 것 ___ 구하려는 것

✐ 구하려는 것, 주어진 것에 선을 그어 봅니다.

[해결하기] 예 두 소수의 크기를 비교할 때에는 자연수 부분이 같으면 소수 부분을 비교합니다.

자연수 부분이 1로 같고 소수 부분이 3 > 1이므로 1.3 > 1.1입니다.

따라서 효민이가 우유를 더 많이 마셨습니다.

[답 구하기] **효민**

6. 분수와 소수 · 79

80쪽 ~ 81쪽

PLAY 사고력 개념 스토리 **여러 가지 채소 심기**

밭에 여러 가지 채소를 심은 부분을 분수로 나타낸 것입니다. 채소 붙임딱지를 알맞게 붙여 보세요.

오이 $\frac{3}{15}$, 양파 $\frac{4}{15}$, 고추 $\frac{8}{15}$

✤ 전체를 똑같이 15로 나눈 것 중의 3은 $\frac{3}{15}$, 4는 $\frac{4}{15}$, 8은 $\frac{8}{15}$입니다.

예)

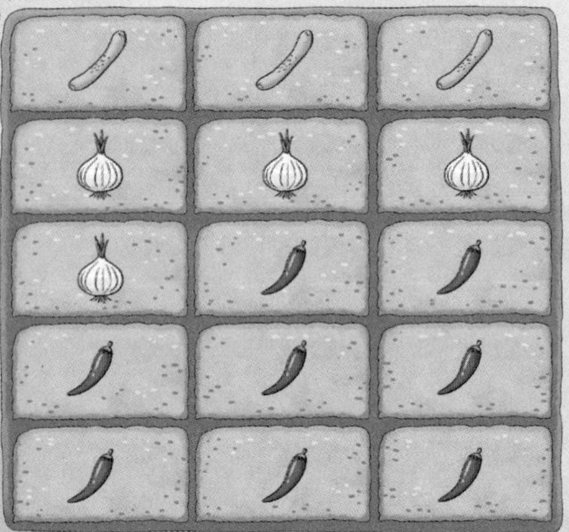

배추 $\frac{7}{16}$, 가지 $\frac{4}{16}$, 무 $\frac{5}{16}$

예)

✤ 전체를 똑같이 16으로 나눈 것 중의 7은 $\frac{7}{16}$, 4는 $\frac{4}{16}$, 5는 $\frac{5}{16}$입니다.

여러 가지 채소를 다양하게 심어 보고, 분수로 나타내어 보세요.

예) 오이 $\frac{4}{9}$, 양파 $\frac{2}{9}$, 고추 $\frac{3}{9}$

예)

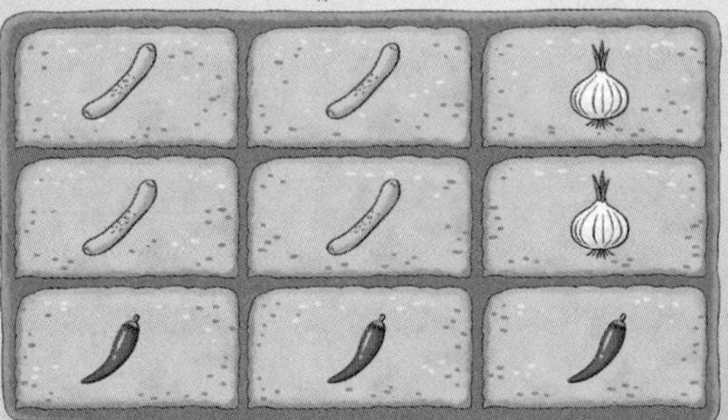

82쪽 ~ 83쪽

PLAY 사고력 개념 스토리 **길 찾기**

곤충 채집을 하고 있습니다. 갈림길에 있는 분수의 크기를 비교하여 더 작은 분수가 있는 길로 가면서 채집한 곤충을 모두 채집통에 붙여 보세요.

(단, 한 번 지나간 길은 다시 지나갈 수 없습니다.)

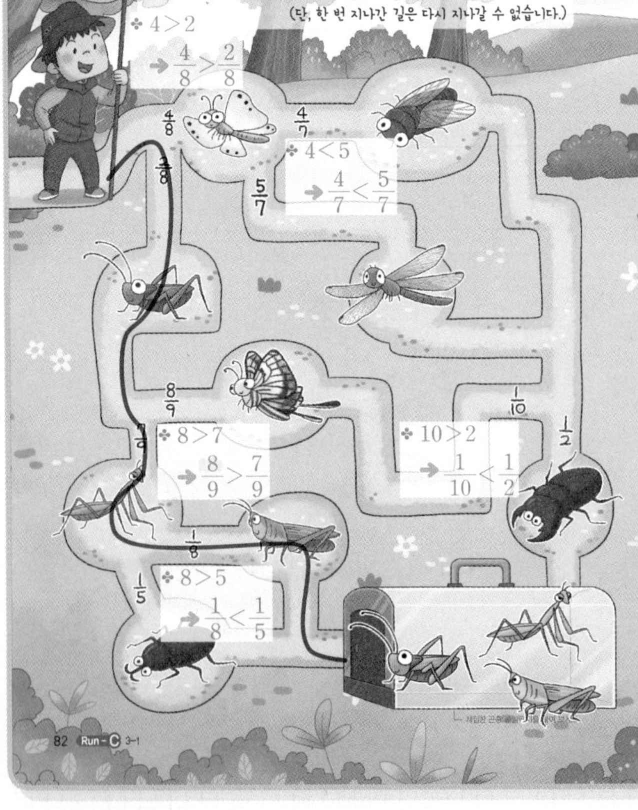

토끼가 당근을 주워 집으로 가려고 합니다. 각 칸의 소수의 크기를 비교하여 더 큰 소수가 있는 길로 가 보세요. 무서운 동물을 피해 집까지 갔을 때 모은 당근을 모두 붙여 보세요.

(단, 한 번 지나간 칸은 다시 지나갈 수 없습니다.)

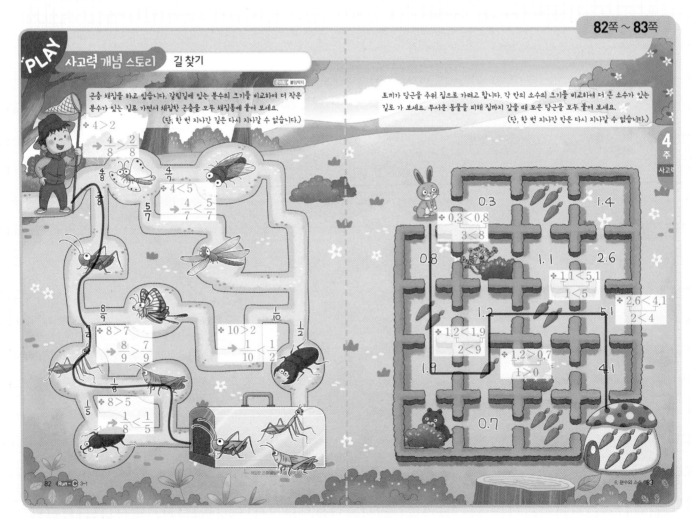

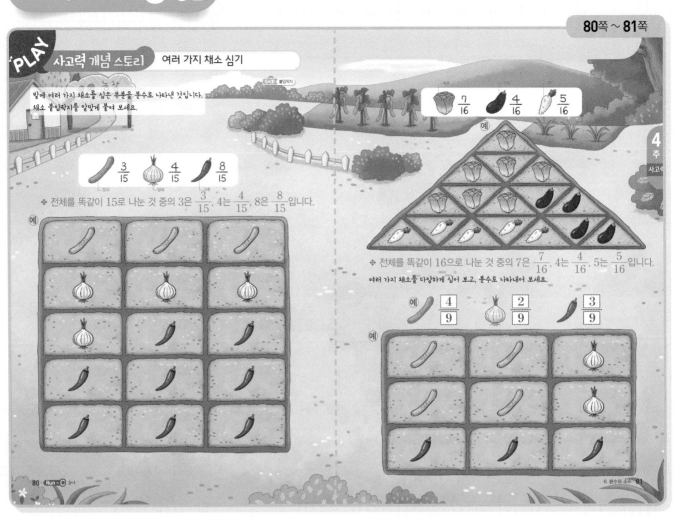

정답과 풀이 p.21

1단계 교과 사고력 잡기

1 준호는 동화책을 어제는 전체의 $\frac{3}{11}$을 읽었고 오늘은 전체의 $\frac{1}{11}$이 6개인 수만큼 읽었습니다. 남은 동화책의 양은 전체의 얼마인지 분수로 나타내어 보세요.

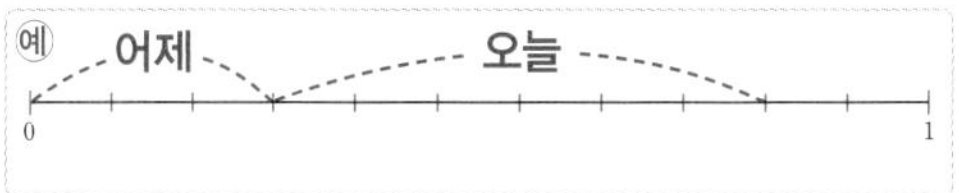

① 어제 읽은 동화책의 양만큼 수직선에 나타내어 보세요.

❖ 전체를 똑같이 11로 나눈 것 중의 3입니다.

② ①에서 나타낸 양에 이어서 오늘 읽은 동화책의 양만큼 수직선에 나타내어 보세요.

❖ 전체를 똑같이 11로 나눈 것 중의 6입니다.

③ 남은 동화책의 양은 전체의 얼마인지 분수로 나타내어 보세요.

($\frac{2}{11}$)

❖ 남은 동화책의 양은 전체를 똑같이 11로 나눈 것 중의 2이므로 $\frac{2}{11}$입니다.

2 마트, 우체국, 학교, 수영장 중에서 지영이네 집에서 가장 먼 곳은 어디인지 구해 보세요.

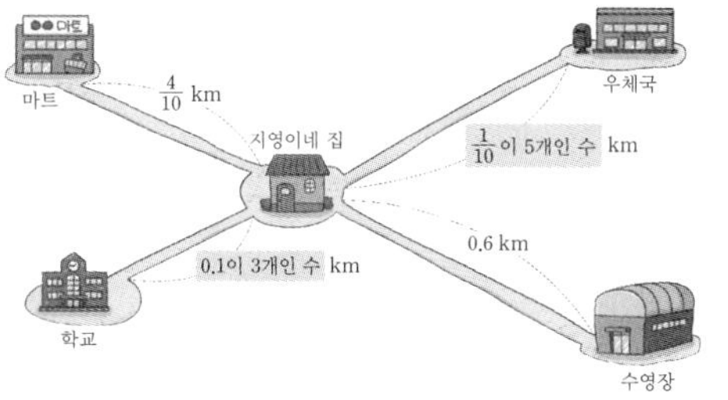

① 지영이네 집에서 마트까지의 거리는 몇 km인지 소수로 나타내어 보세요.

(0.4 km)

❖ $\frac{■}{10}$=0.■이므로 $\frac{4}{10}$ km=0.4 km입니다.

② 지영이네 집에서 우체국까지의 거리는 몇 km인지 소수로 나타내어 보세요.

(0.5 km)

❖ $\frac{1}{10}$이 5개인 수 → $\frac{5}{10}$=0.5

③ 지영이네 집에서 학교까지의 거리는 몇 km인지 소수로 나타내어 보세요.

(0.3 km)

❖ 0.1이 3개인 수 → 0.3

④ 지영이네 집에서 가장 먼 곳은 어디일까요?

(수영장)

❖ 0.6>0.5>0.4>0.3이므로 수영장이 가장 멉니다.

정답과 풀이 p.21

1단계 교과 사고력 잡기

3 다음은 어떤 규칙에 따라 분수를 늘어놓은 것입니다. 오른쪽 도형에 10번째 분수만큼 색칠해 보세요.

$\frac{1}{30}$ $\frac{3}{29}$ $\frac{5}{28}$ $\frac{7}{27}$ ……

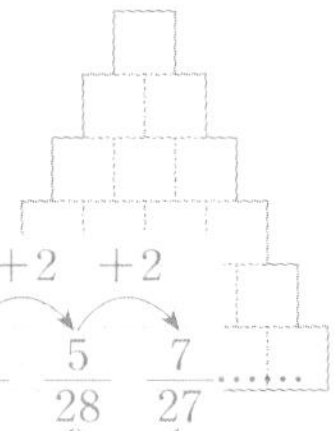

❖ $\frac{1}{30}$ $\frac{3}{29}$ $\frac{5}{28}$ $\frac{7}{27}$ …… (분자: +2 +2 +2, 분모: −1 −1 −1)

① 알맞은 말에 ○표 하세요.

분자는 1, 3, 5, 7……로 (②, 3)씩 커지고 있습니다.
분모는 30, 29, 28, 27……로 1씩 (커지고 , (작아지고)) 있습니다.

② 10번째 분수를 구해 보세요.

($\frac{19}{21}$)

❖ 분자: 1, 3, 5, 7, 9, 11, 13, 15, 17, (19)
분모: 30, 29, 28, 27, 26, 25, 24, 23, 22, (21)

③ 도형에 10번째 분수만큼 색칠해 보세요.

❖ $\frac{19}{21}$는 전체를 똑같이 21로 나눈 것 중의 19이므로 21칸 중에서 19칸에 색칠합니다.

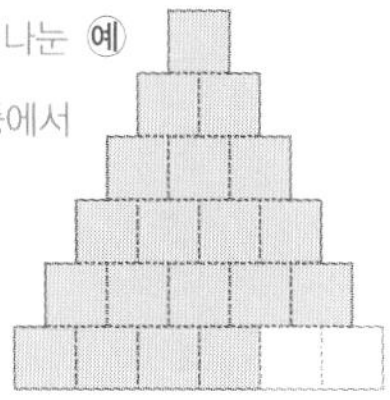

4 석진이의 도서대출증은 가로는 7 cm이고, 세로는 가로보다 3.4 cm 더 짧은 직사각형 모양입니다. 도서대출증의 네 변의 길이의 합은 몇 cm인지 소수로 나타내어 보세요.

① 3.4 cm는 몇 mm일까요?

(34 mm)

❖ 0.1 cm는 1 mm이므로 3.4 cm는 34 mm입니다.

② 도서대출증의 세로는 몇 mm일까요?

(36 mm)

❖ 가로는 7 cm=70 mm이고,
세로는 70−34=36 (mm)입니다.

③ 도서대출증의 네 변의 길이의 합은 몇 mm일까요?

(212 mm)

❖ 70+36+70+36=212 (mm)

④ 도서대출증의 네 변의 길이의 합은 몇 cm인지 소수로 나타내어 보세요.

(21.2 cm)

❖ 212 mm=21.2 cm

88쪽 ~ 89쪽

2단계 교과 사고력 확장

정답과 풀이 p.22

1 주영이는 색종이를 다음과 같이 4번 접은 다음 한 면에 초록색으로 색칠하였습니다. 색칠한 부분은 전체의 몇 분의 몇인지 나타내어 보세요.

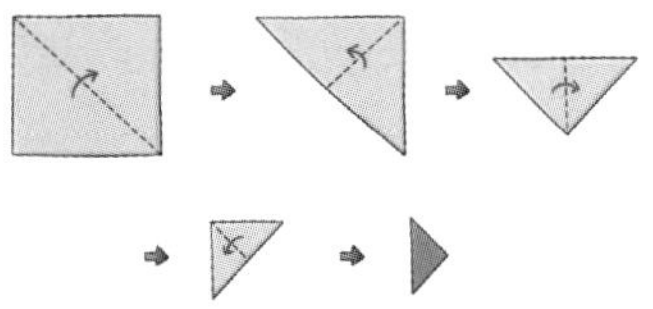

① 접은 모양을 펼쳤을 때 전체가 똑같이 몇으로 나누어졌는지 써 보세요.

1번 접은 모양	2번 접은 모양	3번 접은 모양	4번 접은 모양
2	4	8	16

✤ 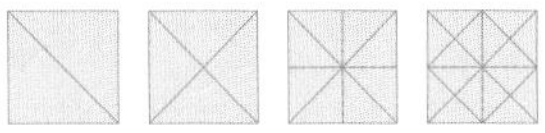

② 색칠한 부분은 전체의 몇 분의 몇일까요?

($\frac{1}{16}$)

✤ 4번 접은 모양을 펼치면 똑같이 16으로 나누어져 있고, 그중에서 1만큼 색칠했으므로 색칠한 부분은 전체의 $\frac{1}{16}$입니다.

2 지민이네 모둠 친구들이 각각 기르는 식물입니다. 남주가 기르는 식물의 키를 ■.▲ cm라고 할 때 ■.▲ cm를 구해 보세요.

내 건 5 cm 4 mm야.
내 건 52 mm야.
내가 기르는 식물의 키는 지민이 것보다는 크고 태영이 것보다는 작아.
?
태영
지민
남주

① 태영이와 지민이가 기르는 식물의 키는 각각 몇 cm인지 소수로 나타내어 보세요.

태영 (5.4 cm), 지민 (5.2 cm)

✤ 5 cm 4 mm=5.4 cm, 52 mm=5.2 cm

② 남주가 기르는 식물의 키를 ■.▲ cm라고 할 때, □ 안에 알맞은 소수를 써넣으세요.

5.2 < ■.▲ < 5.4

③ 남주가 기르는 식물의 키는 몇 cm인지 소수로 나타내어 보세요.

(5.3 cm)

✤ 5.2보다 크고 5.4보다 작은 ■.▲는 5.3입니다.
남주가 기르는 식물의 키는 5.3 cm입니다.

90쪽 ~ 91쪽

2단계 교과 사고력 확장

정답과 풀이 p.22

3 다음과 같이 정사각형 9칸에 분모가 11인 서로 다른 분수를 규칙에 맞게 써넣고 있습니다. ㉠, ㉡, ㉢에 알맞은 분수를 구해 보세요.

규칙
→ 방향으로 분수가 커집니다.
↓ 방향으로 분수가 작아집니다.

$\frac{5}{11}$	$\frac{6}{11}$	$\frac{9}{11}$
$\frac{3}{11}$	㉢	㉠
㉡	$\frac{2}{11}$	$\frac{7}{11}$

① ㉠에 알맞은 분수를 구해 보세요.

($\frac{8}{11}$)

✤ $\frac{9}{11}$ > ㉠ > $\frac{7}{11}$ → $\frac{9}{11}$ > $\frac{□}{11}$ > $\frac{7}{11}$ → 9>□>7이므로 □=8입니다.
→ ㉠에 알맞은 분수는 $\frac{8}{11}$입니다.

② ㉡에 알맞은 분수를 구해 보세요.

($\frac{1}{11}$)

✤ ㉡ < $\frac{2}{11}$ < $\frac{7}{11}$ → $\frac{□}{11}$ < $\frac{2}{11}$ → □<2이므로 □=1입니다.
→ ㉡에 알맞은 분수는 $\frac{1}{11}$입니다.

③ ㉢에 알맞은 분수를 구해 보세요.

($\frac{4}{11}$)

✤ $\frac{6}{11}$ > ㉢ > $\frac{2}{11}$ → $\frac{6}{11}$ > $\frac{□}{11}$ > $\frac{2}{11}$
→ 6>□>2이므로 □는 3, 4, 5입니다.
→ $\frac{3}{11}$, $\frac{5}{11}$는 될 수 없으므로 ㉢=$\frac{4}{11}$입니다.

4 칠교판의 각 조각의 크기는 칠교판 전체의 몇 분의 몇인지 나타내어 보세요.

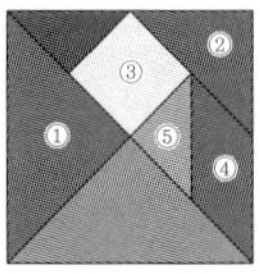

① 전체를 똑같이 나누어 보고 ①번 조각은 칠교판 전체의 몇 분의 몇인지 써 보세요.

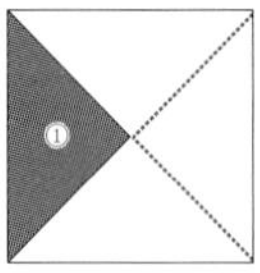

→ $\frac{1}{4}$

✤ 전체를 똑같이 4로 나눈 것 중의 1이므로 $\frac{1}{4}$입니다.

② 전체를 똑같이 나누어 보고 ②번 조각은 칠교판 전체의 몇 분의 몇인지 써 보세요.

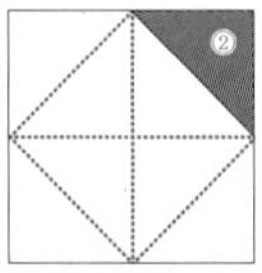

→ $\frac{1}{8}$

✤ 전체를 똑같이 8로 나눈 것 중의 1이므로 $\frac{1}{8}$입니다.

③ 전체를 똑같이 나누어 보고 ⑤번 조각은 칠교판 전체의 몇 분의 몇인지 써 보세요.

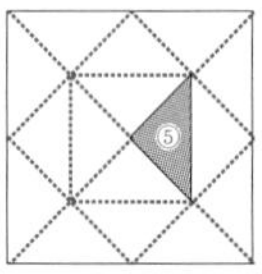

→ $\frac{1}{16}$

✤ 전체를 똑같이 16으로 나눈 것 중의 1이므로 $\frac{1}{16}$입니다.

3 단계 **교과 사고력 완성**

정답과 풀이 p.23

평가 영역 ☑개념 이해력 ☐개념 응용력 ☐창의력 ☐문제 해결력

1 호루스의 눈은 고대 이집트 시대 파피루스에 그려진 그림입니다. 호루스의 눈에 쓰여진 분수 중에서 가장 큰 분수와 가장 작은 분수를 써 보세요.

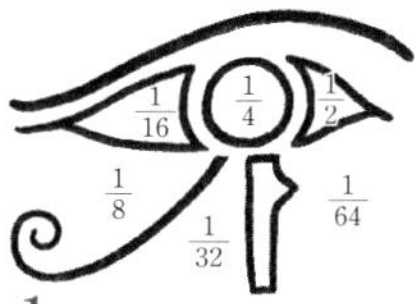

가장 큰 분수 ($\frac{1}{2}$), 가장 작은 분수 ($\frac{1}{64}$)

✥ 단위분수는 분모가 작을수록 더 큰 분수입니다.

$2 < 4 < 8 < 16 < 32 < 64 \Rightarrow \frac{1}{2} > \frac{1}{4} > \frac{1}{8} > \frac{1}{16} > \frac{1}{32} > \frac{1}{64}$

평가 영역 ☐개념 이해력 ☐개념 응용력 ☐창의력 ☑문제 해결력

2 왼쪽 분수가 오른쪽 분수보다 더 작도록 선으로 이어 보세요. (단, 선은 각각 한 번씩만 잇습니다.)

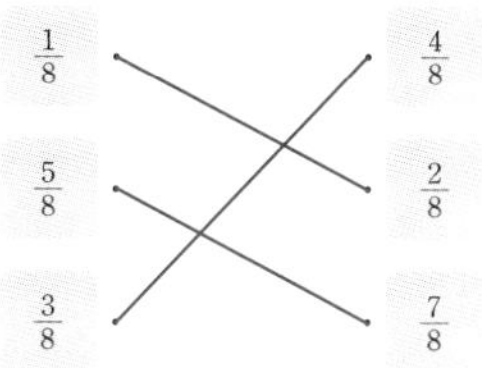

✥ 분모가 같은 분수는 분자가 작을수록 더 작은 분수입니다.

92 · Run - C 3-1

평가 영역 ☐개념 이해력 ☐개념 응용력 ☑창의력 ☐문제 해결력

3 도형에서 색칠한 부분은 전체의 몇 분의 몇인지 ☐ 안에 알맞은 수를 써넣으세요.

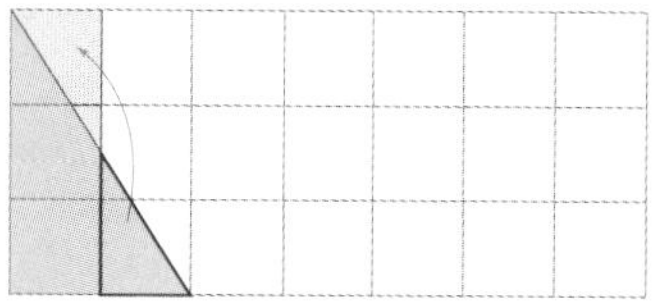

 → $\frac{1}{7}$

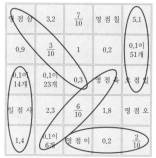

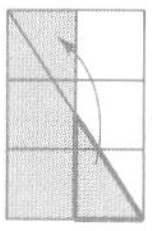

✥ 은 와 같습니다. 따라서 색칠한 부분은 전체를 똑같이 7로 나눈 것 중의 1과 같으므로 $\frac{1}{7}$ 입니다.

평가 영역 ☑개념 이해력 ☐개념 응용력 ☐창의력 ☐문제 해결력

4 가로(→), 세로(↓), 대각선(╲, ╱) 방향으로 같은 수가 3개씩 놓인 것을 모두 찾아 ◯로 묶어 보세요.

영 점 삼	3.2	$\frac{7}{10}$	영 점 칠	5.1
0.9	$\frac{3}{10}$	1	0.2	0.1이 51개
0.1이 14개	0.1이 23개	0.3	영 점 육	오 점 일
일 점 삼	2.3	$\frac{6}{10}$	1.8	영 점 오
1.4	0.1이 6개	영 점 이	0.2	$\frac{2}{10}$

✥ $\frac{\blacksquare}{10}$ = 0.■(영 점 ■)

6. 분수와 소수 · 93

4주 사고력

Test 종합평가 6. 분수와 소수 맞은 개수

정답과 풀이 p.23

1 똑같이 나누어지지 않은 것에 ◯표 하세요.

 ( ) (◯) ( )

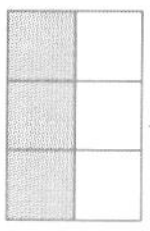

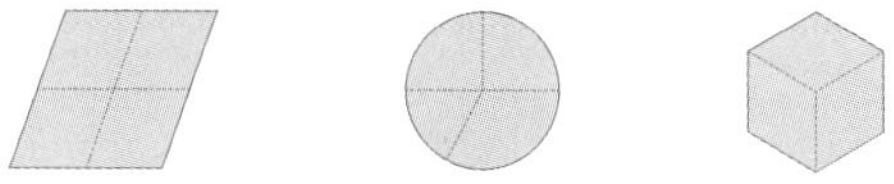

✥ 나누어진 부분을 포개었을 때 완전히 겹치지 않는 것을 찾습니다.

2 ☐ 안에 알맞게 써넣으세요.

 부분 은 전체 를 똑같이 **6** (으)로 나눈 것 중의 **5** 이므로 $\frac{5}{6}$ (이)라 쓰고 **6분의 5** (이)라고 읽습니다.

3 ☐ 안에 알맞은 분수 또는 소수를 써넣으세요.

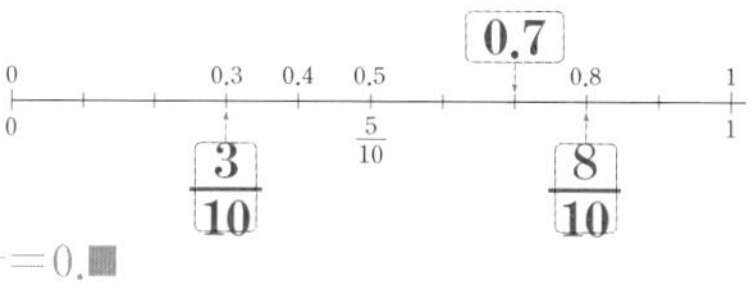

0 0.3 0.4 0.5 **0.7** 0.8 1

$\frac{3}{10}$ $\frac{5}{10}$ $\frac{8}{10}$

✥ $\frac{\blacksquare}{10}$ = 0.■

4 부분을 보고 전체를 그려 보세요.

(예)

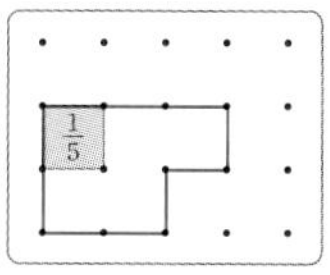

✥ $\frac{1}{5}$ 이 5개가 되도록 그립니다.

94 · Run - C 3-1

---

5 같은 것끼리 선으로 이어 보세요.

0.2 — $\frac{9}{10}$ — 영 점 오
0.9 — $\frac{5}{10}$ — 영 점 구
0.5 — $\frac{2}{10}$ — 영 점 칠
0.7 — $\frac{7}{10}$ — 영 점 이

✥ $0.\blacksquare = \frac{\blacksquare}{10}$, $0.\blacksquare$는 영 점 ■라고 읽습니다.

6 ☐ 안에 알맞은 소수를 써넣으세요.

0 1 2 3 **2.6**

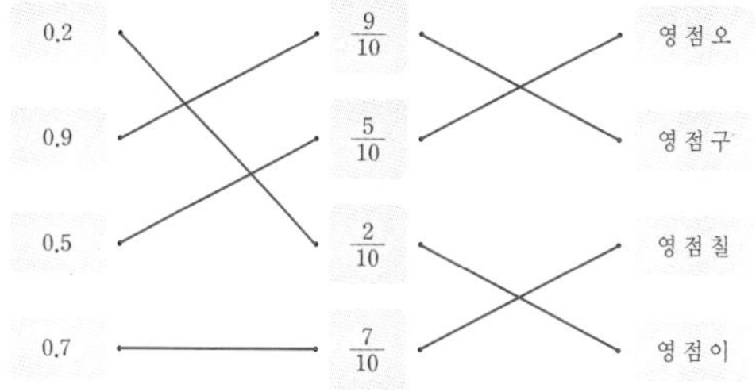

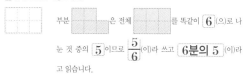

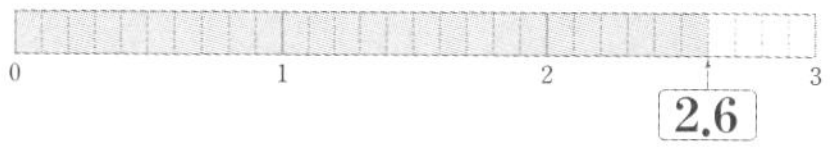

✥ 2와 0.6만큼을 2.6이라고 합니다.

7 ☐ 안에 알맞은 수를 써넣으세요.

(1) 0.9는 0.1이 **9** 개입니다.　(2) 2.4는 0.1이 **24** 개입니다.

(3) 0.1이 37개이면 **3.7** 입니다.　(4) 0.1이 16개이면 **1.6** 입니다.

✥ (1) 0.9는 0.1이 9개입니다.　(2) 2.4는 0.1이 24개입니다.
　(3) 0.1이 37개이면 3.7입니다. (4) 0.1이 16개이면 1.6입니다.

6. 분수와 소수 · 95

4주 평가

Test 종합평가 6. 분수와 소수

정답과 풀이 p.24

8 소수의 크기를 비교하여 ○ 안에 >, =, <를 알맞게 써넣으세요.

(1) 5.8 < 6.2 (2) 3.4 > 3.3

(3) 0.4 < 0.7 (4) 8.1 > 2.9

✣ (1) 5.8 < 6.2 (5 < 6) (2) 3.4 > 3.3 (4 > 3) (3) 0.4 < 0.7 (4 < 7) (4) 8.1 > 2.9 (8 > 2)

9 떡을 똑같이 10조각으로 나누었습니다. 그중에서 지영이가 4조각을 먹고 보미가 6조각을 먹었습니다. 지영이와 보미가 먹은 떡의 양을 각각 소수로 나타내어 보세요.

지영 (0.4)
보미 (0.6)

✣ 전체를 똑같이 10으로 나눈 것 중의 4와 6은 각각 $\frac{4}{10}$, $\frac{6}{10}$입니다.
$\frac{4}{10}=0.4$, $\frac{6}{10}=0.6$

10 분수의 크기를 비교하여 큰 분수부터 차례로 써 보세요.

$\frac{7}{13}$ $\frac{9}{13}$ $\frac{5}{13}$

($\frac{9}{13}$, $\frac{7}{13}$, $\frac{5}{13}$)

✣ 분모가 같은 분수는 분자가 클수록 더 큰 분수입니다.
➔ 9 > 7 > 5이므로 $\frac{9}{13} > \frac{7}{13} > \frac{5}{13}$입니다.

11 □ 안에 들어갈 수 있는 수를 모두 찾아 ○표 하세요.

5.5 < 5.□

(1, 2, 3, 4, 5, ⑥, ⑦, ⑧, ⑨)

✣ 5.5 < 5.□에서 자연수 부분이 5로 같으므로 소수 부분을 비교하면 5 < □이어야 합니다.
➔ □ 안에 들어갈 수 있는 수는 6, 7, 8, 9입니다.

12 가장 큰 분수와 가장 작은 분수를 각각 찾아 써 보세요.

$\frac{1}{11}$ $\frac{1}{5}$ $\frac{1}{3}$ $\frac{1}{9}$ $\frac{1}{8}$ $\frac{1}{4}$

가장 큰 분수 ($\frac{1}{3}$)
가장 작은 분수 ($\frac{1}{11}$)

✣ 단위분수이므로 분모가 작을수록 큰 분수입니다.
➔ 3 < 4 < 5 < 8 < 9 < 11이므로
$\frac{1}{3} > \frac{1}{4} > \frac{1}{5} > \frac{1}{8} > \frac{1}{9} > \frac{1}{11}$입니다.

13 전체에 알맞은 도형을 모두 찾아 기호를 써 보세요.

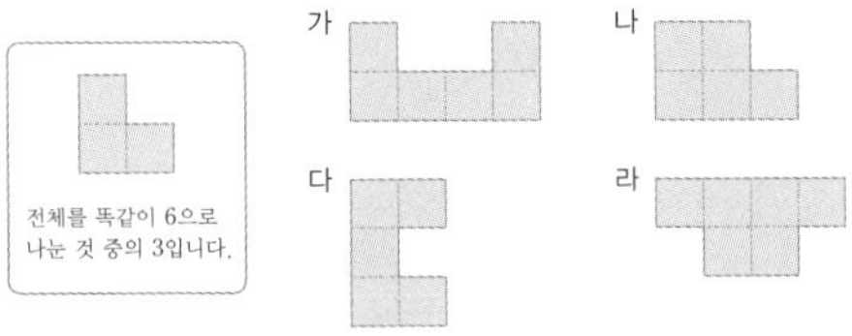

(가, 라)

✣ 전체를 똑같이 6으로 나눈 것은 가, 라입니다.
이 중에서 주어진 도형에 나머지 3을 그렸을 때 각각 가, 라를 만들 수 있으므로 전체에 알맞은 도형은 가, 라입니다.

14 영지네 마을에 비가 오전에는 8 mm, 오후에는 5 mm 내렸습니다. 영지네 마을에 오늘 내린 비의 양은 모두 몇 cm인지 소수로 나타내어 보세요.

(1.3 cm)

✣ (오늘 내린 비의 양) = (오전에 내린 비의 양) + (오후에 내린 비의 양)
= 8 + 5 = 13 (mm) ➔ 1.3 cm

Test 종합평가 6. 분수와 소수

정답과 풀이 p.24

15 윤기와 친구들은 피자 한 판을 사서 그중 $\frac{5}{6}$를 먹었습니다. 먹은 피자는 남은 피자의 몇 배인지 구해 보세요.

(5배)

✣ 전체의 $\frac{5}{6}$를 먹었으므로 남은 피자는 전체의 $\frac{1}{6}$입니다.
$\frac{5}{6}$는 $\frac{1}{6}$이 5개이므로 $\frac{5}{6}$는 $\frac{1}{6}$의 5배입니다.
따라서 먹은 피자는 남은 피자의 5배입니다.

16 혜미네 밭을 똑같이 15칸으로 나누어 가지, 오이, 배추를 심었습니다. 가장 넓은 부분에 심은 채소는 무엇이고, 밭 전체의 몇 분의 몇인지 차례로 써 보세요.

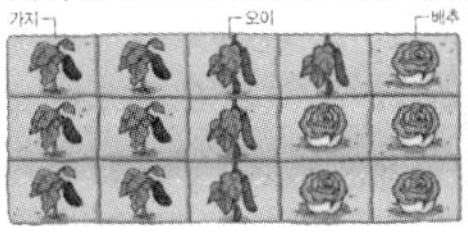

(가지), ($\frac{6}{15}$)

✣ 가지는 6칸, 오이는 4칸, 배추는 5칸이므로 가장 넓은 부분에 심은 채소는 가지입니다.
따라서 가지는 전체 15칸 중에서 6칸을 차지하므로 $\frac{6}{15}$입니다.

17 4장의 수 카드 중에서 2장을 뽑아 한 번씩만 사용하여 소수 ■.▲를 만들려고 합니다. 만들 수 있는 소수 중에서 둘째로 큰 수와 넷째로 큰 수를 각각 구해 보세요.

4 7 2 8

둘째로 큰 수 (8.4)
넷째로 큰 수 (7.8)

✣ 8 > 7 > 4 > 2이므로 가장 큰 수: 8.7, 둘째로 큰 수: 8.4, 셋째로 큰 수: 8.2, 넷째로 큰 수: 7.8입니다.

특강 창의·융합 사고력

1 우리나라 각 도시의 2019년 2월 강수량을 재어 나타낸 것입니다. 강수량이 가장 많은 도시와 가장 적은 도시를 찾고, 그 도시의 강수량이 몇 mm인지 써 보세요.

2019년 2월 강수량

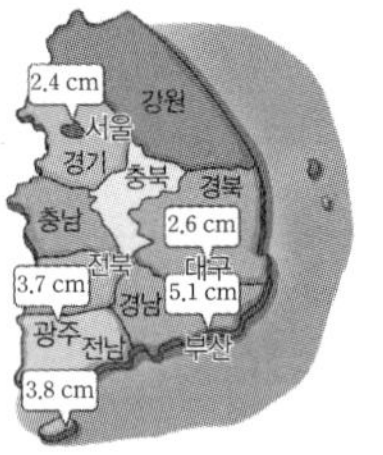

(1) 강수량이 가장 많은 도시는 어디이고, 강수량은 몇 mm인지 차례로 써 보세요.

(부산), (51 mm)

✣ 자연수 부분을 비교하면 5 > 3 > 2이므로 강수량이 가장 많은 도시는 부산으로 5.1 cm = 51 mm입니다.

(2) 강수량이 가장 적은 도시는 어디이고, 강수량은 몇 mm인지 차례로 써 보세요.

(서울), (24 mm)

✣ 자연수 부분을 비교하면 5 > 3 > 2입니다. ➔ 2.6 > 2.4 (6 > 4)
강수량이 가장 적은 도시는 서울로 2.4 cm = 24 mm입니다.

정답은
이안에
있어 !

난이도 별점
쉬움 ★
보통 ★★★
어려움 ★★★★★
최상위 ★★★★★★★

서술형, 문장제, 사고력 등 문제해결력을 기르는 문제집이 필요하다면?

응용·심화 단계로 들어가기 전, **다양한 유형**을 연습하고 싶다면?

HME 수학학력평가를 준비하고 싶다면?

교과서 진도에 맞춰 **개념**을 다지면서, **여러 유형의 문제**로 기본을 다지고 싶다면?

닥터유형
★★★☆

수학도 독해가 힘이다
★★★★

수학의 힘
알파(실력) ★★★☆
베타(유형) ★★★★☆
감마(심화) ★★★★★★

HME 수학학력평가
★★★★★

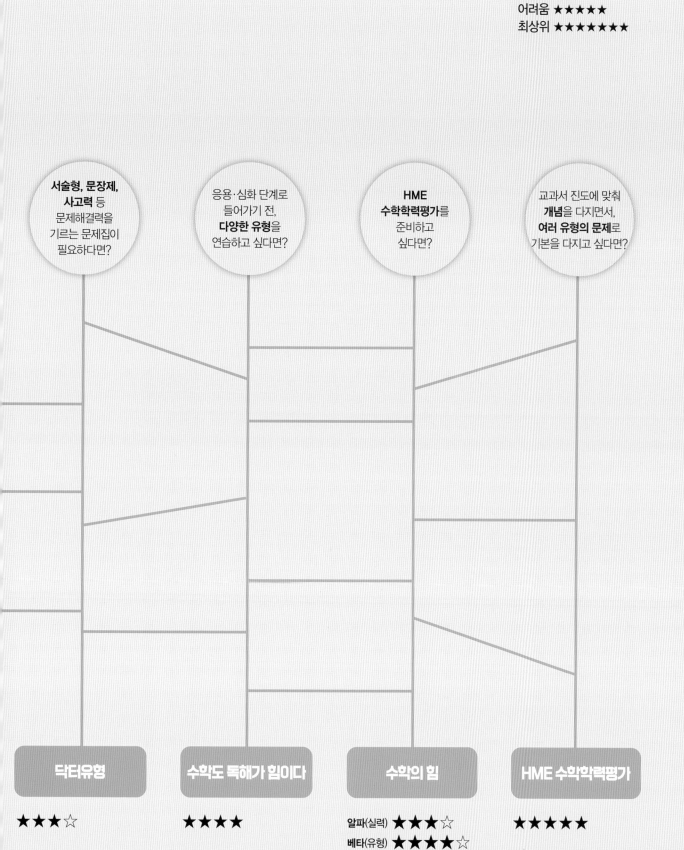

배움으로 행복한 내일을 꿈꾸는

천재교육 커뮤니티 안내

교재 안내부터 구매까지 한 번에!

천재교육 홈페이지

자사가 발행하는 참고서, 교과서에 대한 소개는 물론
도서 구매도 할 수 있습니다. 회원에게 지급되는 별을 모아
다양한 상품 응모에도 도전해 보세요!

다양한 교육 꿀팁에 깜짝 이벤트는 덤!

천재교육 인스타그램

천재교육의 새롭고 중요한 소식을 가장 먼저 접하고 싶다면?
천재교육 인스타그램 팔로우가 필수!
깜짝 이벤트도 수시로 진행되니 놓치지 마세요!

수업이 편리해지는

천재교육 ACA 사이트

오직 선생님만을 위한, 천재교육 모든 교재에 대한 정보가 담긴
아카 사이트에서는 다양한 수업자료 및 부가 자료는 물론
시험 출제에 필요한 문제도 다운로드하실 수 있습니다.

https://aca.chunjae.co.kr

천재교육을 사랑하는 샘들의 모임

천사샘

학원 강사, 공부방 선생님이시라면 누구나 가입할 수 있는 천사샘!
교재 개발 및 평가를 통해 교재 검토진으로 참여할 수 있는 기회는 물론
다양한 교사용 교재 증정 이벤트가 선생님을 기다립니다.

아이와 함께 성장하는 학부모들의 모임공간

튠맘 학습연구소

튠맘 학습연구소는 초·중등 학부모를 대상으로 다양한 이벤트와 함께
교재 리뷰 및 학습 정보를 제공하는 네이버 카페입니다.
초등학생, 중학생 자녀를 둔 학부모님이라면 튠맘 학습연구소로 오세요!